걸프 사태

대책 및 조치 3

걸프 사태

대책 및 조치 3

한국학술정보

| 머리말

걸프 전쟁은 미국의 주도하에 34개국 연합군 병력이 수행한 전쟁으로, 1990년 8월 이라크의 쿠웨이트 침공 및 합병에 반대하며 발발했다. 미국은 초기부터 파병 외교에 나섰고, 1990년 9월 서울 등에 고위 관리를 파견하며 한국의 동참을 요청했다. 88올림픽 이후 동구권 국교 수립과 유엔 가입 추진 등 적극적인 외교 활동을 펼치는 당시 한국에 있어 이는 미국과 국제사회의 지지를 얻기 위해서라도 피할 수 없는 일이었다. 결국 정부는 91년 1월부터 약 3개월에 걸쳐 국군의료지원단과 공군수송단을 사우디아라비아 및 아랍 에미리트 연합 등에 파병하였고, 군·민간 의료 활동, 병력 수송 임무를 수행했다. 동시에 당시 걸프 지역 8개국에 살던 5천여 명의 교민에게 방독면 등 물자를 제공하고, 특별기 파견 등으로 비상시 대피할 수 있도록 지원했다. 비록 전쟁 부담금과 유가 상승 등 어려움도 있었지만, 걸프전 파병과 군사 외교를 통해 한국은 유엔 가입에 박차를 가할 수 있었고 미국 등 선진 우방국, 아랍권 국가 등과 밀접한 외교 관계를 유지하며 여러 국익을 창출할 수 있었다.

본 총서는 외교부에서 작성하여 30여 년간 유지한 걸프 사태 관련 자료를 담고 있다. 미국을 비롯한 여러 국가와의 군사 외교 과정, 일일 보고 자료와 기타 정부의 대응 및 조치, 재외동포 철수와 보호, 의료지원단과 수송단 파견 및 지원 과정, 유엔을 포함해 세계 각국에서 수집한 관련 동향 자료, 주변국 지원과 전후복구사업 참여 등 총 48권으로 구성되었다. 전체 분량은 약 2만 4천여 쪽에 이른다.

2024년 3월
한국학술정보(주)

일러두기

· 본 총서에 실린 자료는 2022년 4월과 2023년 4월에 각각 공개한 외교문서 4,827권, 76만 여 쪽 가운데 일부를 발췌한 것이다.

· 각 권의 제목과 순서는 공개된 원본을 최대한 반영하였으나, 주제에 따라 일부는 적절히 변경하였다.

· 원본 자료는 A4 판형에 맞게 축소하거나 원본 비율을 유지한 채 A4 페이지 안에 삽입 하였다. 또한 현재 시점에선 공개되지 않아 '공란'이란 표기만 있는 페이지 역시 그대로 실었다.

· 외교부가 공개한 문서 각 권의 첫 페이지에는 '정리 보존 문서 목록'이란 이름으로 기록물 종류, 일자, 명칭, 간단한 내용 등의 정보가 수록되어 있으며, 이를 기준으로 0001번부터 번호가 매겨져 있다. 이는 삭제하지 않고 총서에 그대로 수록하였다.

· 보고서 내용에 관한 더 자세한 정보가 필요하다면, 외교부가 온라인상에 제공하는 『대한 민국 외교사료요약집』 1991년과 1992년 자료를 참조할 수 있다.

| 차례

머리말 4

일러두기 5

걸프사태 : 대책 및 조치, 1990-91. 전11권 (V.5 1991.1.2-17) 7

걸프사태 : 대책 및 조치, 1990-91. 전11권 (V.6 1991.1.18-31) 219

정 리 보 존 문 서 목 록					
기록물종류	일반공문서철	등록번호	2021010234	등록일자	2021-01-28
분류번호	721.1	국가코드	XF	보존기간	영구
명 칭	걸프사태 : 대책 및 조치, 1990-91. 전11권				
생 산 과	중동1과/북미1과	생산년도	1990~1991	담당그룹	
권 차 명	V.5 1991.1.2-17				
내용목차	1.17 페르시아만 전쟁 발발 관련 정부대변인 성명 발표				

0001

主要 業務 現況 報告

1991. 1. 2.

中東아프리카局

0002

目　　　次

I. 걸프 事態 勃發과 措置 事項

  1. 政府 公式 立場 發表

  2. 對이라크 經濟 制裁 措置

  3. 이라크, 쿠웨이트 事態 對策班 設置

  4. 이라크, 쿠웨이트 僑民 撤收

  5. 化學戰 裝備 供給

  6. 公館 撤收 및 人員 減縮

II. 걸프戰爭 勃發對備 非常對策

III. 醫療支援團 派遣 推進 計劃

IV. 多國籍軍 및 周邊被害國 支援

V. 걸프事態 情勢 및 展望

0003

Ⅰ. 걸프 事態 勃發과 措置 事項

1. 政府 公式 立場 發表 (8.2. 外務部 代辯人 聲明)

○ 이라크의 쿠웨이트 侵攻과 關聯 事態 進展에 깊은 憂慮 表明
○ 事態의 平和的 解決과 이라크軍의 쿠웨이트 撤收 促求

2. 對이라크 經濟 制裁 措置 (8.9. 總理 主宰 關係 長官 會議 決定, 外務部 代辯人 發表)

○ 이라크 및 쿠웨이트의 國內 資産 凍結
○ 이라크 및 쿠웨이트부터 原油 收入 禁止
○ 新規 建設 受注 禁止
○ 輸出入禁止 (人道的 物資 및 醫藥品 제외)

3. 이라크, 쿠웨이트 事態 對策班 設置 (8.11 團長 : 권병현 本部大使)

○ 僑民 安全 保護 및 非常 撤收 對策 講究
○ 多國籍軍 警備 分擔 및 電線國家 經濟 支援 業務 調整
○ 解體 (90.12.3.)

4. 이라크, 쿠웨이트 僑民 撤收

○ 總 1,328名中 現在까지 1,212名을 安全 撤收
- 大韓航空 專貰機 2회 投入 (8.23. 및 9.1.)
- 撤收 人員中 무의탁 僑民 251名에 대하여 撤收 항공료 및
　經由地 滯在費用을 政府가 支拂
○ 現在 殘留 人員은 116名
○ 91.1.15.을 앞두고 事態가 급박해짐에 따라
- 駐이라크 大使에 가능한한 殘留人員 全員 撤收 指示 (90.12.27.)
- 사우디, 바레인, 카타르, UAE, 요르단 滯在 僑民에 대하여 自進
　撤收 勸誘 (90.12.27.)

0004

5. 化學戰 裝備 供給

o 걸프地域 公館 (이라크, 사우디, 바레인, 카타르, UAE, 요르단)에
   - 公館員 및 家族用으로 防毒面등 化學戰 裝備을 供給하고 職員 派遣
     着用法 訓鍊 實施
o 建設業體, 商社等
   - 防毒面 送付時 當部 파우치편 利用토록 便宜 提供
o 걸프地域 滯留者
   - 防毒面 保有 現況 把握, 化學戰 裝備 追加 供給 方案 檢討中

6. 公館 撤收 및 人員 減縮

o 駐쿠웨이트 大使館 撤收
        8.23. 公館員 3名 (參事官, 建設官, 勞務官) 撤收 僑民 및 職員
               家族 引率 歸國
        9.2.   大使 包含 殘留 公館員 4名 全員 撤收
o 駐이라크 大使館 人員 減縮
   - 公使, 建設官, 勞務官 및 職員 家族 全員 撤收 (大使 婦人 殘留)
   - 現 殘留 人員은 大使, 書記官, 外信官과 派遣官 4名임
   - 事態 惡化에 따라 公館 撤收 檢討中 (公館 意見 問議, 90.12.31.)

0005

II. 걸프戰爭 勃發對備 非常對策

1. 狀 況

가. 걸프事態는 11.29. 유엔 安保理가 對이락 武力 使用을 承認
하였음에도 不拘하고 부시 美國 大統領이 12.1. 이락에 直接
協商을 提議하고 이락이 이를 受容하는 同時에 곧이어 西方人質
全員의 釋放을 決定 하므로서 平和的 解決의 展望이 밝아지는듯
하였으나 베이커 長官의 이락 訪問 日字를 놓고 兩側이 强硬히
맞서고 있어 다시금 대단히 流動的인 局面을 맞이하고 있음.

나. 美國과 이락間의 協商이 失敗할 경우 美國은 어차피 武力使用이
이락의 軍事力 弱化라는 美國의 戰略 目標를 가장 確實하게 保障
하는 方法이 되겠으므로 安保理의 武力使用 承認 決意를 背景으로
戰爭을 遂行할 可能性이 있다고 봄.

다. 武力使用의 경우 이는 奇襲的, 電擊的, 短期的인 大量 攻擊이
될 것으로 豫想됨. 1월 初旬까지는 多國籍軍 約 55萬, 이락軍
約 45萬이 配置될 것으로 봄.

라. 이러한 展望下에서 武力衝突에 대비한 非常對策을 樹立해
두고자 하는것이 本 對策(案)의 背景임.

2. 基本的 考慮事項

戰爭 勃發時 我國의 基本的인 考慮事項은 다음이 될 것임.

가. 我國人 安全 및 迅速 撤收

나. 이락內 我國의 經濟利益 保護

다. 安定的 原油 確保

라. 國際的 平和 維持 活動 參與

마. 北韓의 挑發 可能性에 對備한 境界 態勢의 强化

0006

3. 基本 方針

以上 考慮事項을 염두에 두고 對策을 마련함에 있어 다음을 基本 方針으로 삼고자 함.

가. 關係部處間 協調體制의 確立

나. 現地 公館의 活動 支援

다. 進出業體와 協力

라. 友邦과 緊密協議 및 協調

4. 對 策

가. 僑民 安全 및 撤收 問題(公館員, 家族 包含)

   1) 現 況

      가) 쿠웨이트 殘留人員 9名은 個人 事業上 撤收 不遠

      나) 이라크 殘留人員 120名은 公館員 및 家族과 業體所屬 必須 要員임.

   2) 對 策

      가) 段階的 撤收 推進

      1段階 (開戰 臨迫 判斷時)

      (1) 이라크 殘留人員 撤收

      (2) 駐이락 大使館 人員 減縮(友邦國과 緊密協議)

      (3) 隣接國 滯留 僑民 自進撤收 勸奬

      2段階 (戰爭 勃發時)

      (1) 駐이라크 大使館 完全 撤收

      - 友邦國과 緊密 協議

      - 殘留僑民 保護, 未收金 問題, 長期的 經濟 利益等도 勘案

0007

　　　　　나）　撤收　對備　事前　措置

　　　　　　　(1)　1.10.　前後　狀況　判斷　實施

　　　　　　　(2)　公館水準　緊急　撤收計劃　樹立

　　　　　　　(3)　業體別　撤收　計劃은　公館의　綜合　計劃과　連繫

　　　　　　　(4)　現地公館　및　業體　非常連絡網　構成

　　　　　　　(5)　非常　待避施設　確保

　　　　　　　(6)　出國　許可　獲得

　　　　　　　(7)　非常食品，醫藥品　特別支援　方案　講究

　　　　　　　(8)　駐이라크　및　隣接　公館에　非常金　確保

　　　　　　　(9)　關聯公館에　化生放　裝備　支援　(11月　旣措置)

　　　　　　　(10)　僑民用　化生放　裝備는　業體別로　支援

　　나．　經濟的　利益　保護　問題

　　　1)　建設分野

　　　　　가）　이라크　新規工事　受注　禁止

　　　　　나）　未收金에　따른　進出會社의　資金　壓迫　緩和　支援

　　　　　다）　工事　中斷에　따른　紛爭소지　除去

　　　　　라）　未收金　現況

　　　　　　　①　이라크　：　7個社　972　百萬弗

　　　　　　　②　쿠웨이트　：　3個社　63　百萬弗

　　　2)　交易分野

　　　　　가）　交易　損失　極小化　方案　講究

　　　　　나）　輸出　保險　强化　方案　講究

　　　　　다）　前後　域內　豫想需要에　對備

　　　　　라）　對이라크　經濟制裁　措置로　豫想되는　輸出　차질액
　　　　　　　　(90.8-12月　基準)

　　　　　　　①　이라크　：　110　百萬弗

　　　　　　　②　쿠웨이트　：　80　百萬弗

다. 原油 供給 問題

  1) 油價 引上에 따른 追加 負擔 豫想

    가) 25弗 基準時 1次年度 15-30 億弗

    나) 배럴當 1弗 引上時 年間 330 百萬弗

  2) 對策

    가) 段階別 原油 供給

      1段階 : 精油社 導入 物量으로 充當

      2段階 : 政府 備蓄 및 精油社 在庫 活用(70:30)

      3段階 : 原油 確保狀態를 보아 備蓄, 使用計劃 調整

    나) 戰爭 長期化 對備 中長期 對策 樹立

라. 派兵 追加 負擔 問題

  1) 支援 現況

    가) 1990年 多國籍軍 95 百萬弗

         周邊國 經濟支援 75 百萬弗

    나) 1991年 多國籍軍 25 百萬弗

         周邊國 經濟支援 25 百萬弗

  2) 要請 있을때 考慮事項 (주로 外交的 側面)

    가) 我國의 對이락 및 對아랍圈 政治, 經濟的 利益

    나) 이집트, 시리아等 未修交國과의 修交 側面支援 可能性

    다) 他國의 追加 支援 現況

    라) 醫務團 派遣等 余他 方法 支援 可能性

마. 軍 醫務團等 非戰鬪要員 派遣 問題

  1) 사우디側에 實務協商 代表團 派遣

  2) 考慮事項 (주로 外交的 側面)

    가) 事態 平靜後 對이락 關係 不便

    나) 醫務團 派遣이 연계선이 된 派兵 可能性

    다) 經濟的 負擔

0009

바. 北韓의 挑發 可能性 問題

    1) 東西 和解로 생긴 힘의 空白을 이용한 第3世界 指導者들의
       冒險主義 대두

    2) 强力한 軍事力, 內部不滿等 이락과 北韓의 유사성

    3) 걸프灣 戰爭 勃發時 韓半島 및 周邊 美軍의 部分的 移動 可能性

5. 當面 措置 事項

가. 各級 非常對策班 運營

    1) 政府 合同 對策本部 (1次補 駐在 關係部處 局長級)

    2) 外務部 非常對策班 (中東阿國 中心 24時間 運營)

    3) 駐이라크 大使館 官民 對策會議 (大使 駐在 進出業體 包含)

    4) 中東 公館長 會議 (1月 初旬, 리야드 開催)

나. 非常對策 關聯 豫算 確保

0010

Ⅲ. 醫療支援團 派遣 推進 計劃

1. 사우디側과의 協議

가. 美國과의 協議를 거쳐 90.12.3. 我國 醫療支援團의 사우디 派遣에 대한
사우디側 意見을 打診

나. 12.19. 사우디 國防部側은 我國 醫療支援團의 派遣을 歡迎하고 아래의
條件을 提示함.
1) 91.1.15. 以前 派遣 希望
2) 사우디 醫務司令部 指揮 아래 東部 또는 알바틴 地域 配置
3) 食糧, 燃料, 醫藥品, 施設使用料, 警戒는 사우디 負擔
4) 實務協議위한 協商 代表團 사우디 訪問 希望

2. 派遣 準備 事項

가. 사우디側과 醫療支援團의 指揮系統, 地位問題, 活動, 配置地域, 裝備,
施設使用經費 問題等 協議를 위하여 靑瓦臺, 經濟企劃院, 外務部, 國防部,
安企部 實務者로 構成(團長 : 外務部 中東阿局長)되는 協商 代表團을
90.12.29-91.1.9. 사우디 派遣

나. 國防部는 150-200名 規模의 醫療支援團 本隊 派遣을 91.1.30. 以前
可能토록 準備中

다. 國防部는 本隊 派遣 以前 10-20名으로 構成되는 先發隊 派遣 必要에
對備, 先發隊 派遣도 準備中

3. 國內 派兵 同意 節次

가. 軍醫療支援團 派遣은 憲法上 國會 同意를 얻어야 하며 同意 問題는
十字星 部隊 派越時와 같이 國防部가 主務部署가 되고, 外務部는
弘報等 協調토록 함

나. 1月初 次官會議, 國務會議를 거쳐 1.24. 開會되는 臨時國會에 同意 要請

0011

4. 豫算 措置

가. 사우디側은 醫療 支援團의 食糧, 燃料, 醫藥品 施設 使用料等을 負擔 提議

나. 我側은 輸送, 海外手當, 醫療裝備等에 대한 經費가 所要되나 具體的인
豫算 規模는 協商 代表團의 交涉 結果 후에 들어날 것임

다. 所要經費는 時期의 急迫性으로 政府 歲出 豫算 豫備費에서 使用이 不可避
(걸프事態 支援金에서의 支出 方案은 當初 美側과의 約束에 비추어
적절치 않음)

5. 弘報 計劃

가. 國會 野黨 議員이 越南戰의 예를 들어 醫療部隊(非軍事要員)派遣이
軍事 要員의 派遣으로 連結되었다고 憂慮(與野 共히)를 표하고 있기
때문에 事前에 치밀한 弘報計劃이 必要

나. 1月初 黨政協議會를 거쳐 與野 指導層에 事前 非公式 通報

다. 弘報對策은 靑瓦臺 政策調整室에서 總括 調整토록 建議

라. 對內的으로 支持 輿論을 造成하고 對外的으로 美國等 友邦國에 대한
我國의 積極的인 態度를 알리는 效果를 거두기 위하여 積極的인 弘報
計劃이 必要

6. 對美 通報

가. 美國과의 通商摩擦 및 我國의 걸프事態 分擔金 支援實積이 未治하다는
美側의 關心 表明을 감안 我側의 醫療 支援團 派遣 努力을 美側에
適切히 通報

나. 外務部 美洲局長, 醫療支援團 派遣 準備 狀況을 駐韓 美國 大使館에 通報

다. 協商 代表團의 歸國後 사우디側과의 協商 結果를 美側에 通報

0012

Ⅳ. 多國籍軍 周邊被害國 支援

1. 개요

가. 지원약속내용

(1990년도 지원 내역)　　　　　　　　　(단위 : 만불)

지원내역 국가	다국적군 활동			주변국 및 국제기구				계
	현 금	수 송	군물 수자	EDCF	생필품	쌀	I O M	
미　　　국	5,000	3,000						8,000
이　집　트			700	1,500	800			3,000
터　　　키				1,500	500			2,000
요　르　단				1,000	500			1,500
시　리　아			600		400			1,000
모　로　코			200					200
방글라데시						500		500
I O M							50	50
행　정　비					50			50
예　비　비					200	500		700
소　　　계	5,000	3,000	1,500	4,000	2,450	1,000	50	17,000
계	9,500			7,500				17,000

	다국적군 지원	주변피해국 지원	합　　계
1990 년	9,500	7,500	17,000
1991 년	2,500	2,500	5,000
합　　계	12,000	10,000	22,000

0013

니. 피해국 지원을 위한 조사단 파견

　　ㅇ 유종하 차관을 단장으로 하는 조사단을 10.28-11.6까지
　　　　이집트, 요르단, 시리아, 터키, 4개국 파견하고 지원액 통보,
　　　　지원가능 품목목록을 제시함

　　ㅇ 상기 4개국 및 모로코는 아국 공관을 통해 희망품목을 요청
　　　　해오고 있는바 상세는 아래와 같음

다. 방글라데시에 대한 500만불 상당 쌀 지원은 세계 농산물시장
　　질서를 교란시킬수 있는 우려가 있어 FAO 및 농산물 수출국과의
　　협의가 필요하다는 미국측 입장에 따라 추진 보류중임

라. 국내예산 조치는 국회본회의에서 170백만불 집행을 위해 860억
　　추경예산으로 통과

2. 피해국 지원 추진현황

기. 이집트(총 3,000만불)

　　ㅇ 군수용(700만불)

　　　- 11.28. 이집트측, 품목선정을 위한 군수조달참모등 4명의
　　　　　군수 전문가단 파한제의(경비는 지원비에서 지출)

　　　- 11.29. 이집트 군수전문가단 파한 긍정 검토 회보(아국산
　　　　　방산품 홍보기회 감안)

　　　- 12.12. 이집트측 입장 조속 통보토록 독촉했으나 상금 미접수

　　ㅇ 민수용(800만불)

　　　- 12.11. 이집트측, 동 자금 800만불을 주민등록전산화 사업비
　　　　　일부로 전용해줄것을 요청하고 있으나 상금 이집트 정부관계
　　　　　부처간 협의가 끝나지 않은 상태임

　　　- 12.12. 동 사업 총소요자금 충당계획등 상세파악 보고토록 지시

　　　※ 이집트 주민등록전산화 사업

　　　　- 90.7월 이집트 주민청장방한, 관계기관 시찰

　　　　- 총 사업비 5,000만불 이상 소요

　　　　- 아국 전문가 2명 1개월간 현지파견 조사중

　　　　- 90.12월초 아국관계자들 현지 방문, 협의

　　ㅇ EDCF 자금(1,500만불)

　　　- 사업계획서 미접수

0014

나. 터키 (총 2,000만불)

ㅇ 민수용 (500만불)

  - 터키측 최종 입장 아국 공관접수

ㅇ EDCF 자금 (1,500만불)

  - 12.14. 아국산 상수도용 파이프(Ductile Pipe)구입에
    사용 희망

다. 요르단(총 1,500만불)

ㅇ 민수용 (500만불)

  - 설탕 1,000톤(60만불), 미니버스 50대(128만불)외
    쌀(312만불) 지원요망

  - 쌀 지원에 대한 농수산부 의견 문의중

ㅇ EDCF 자금(1,000만불)

  - 폐수처리공장 사업계획서 아국 공관 접수

라. 시리아 (1,000만불)

  - 시리아 국방장관, 1,000만불 금액 미니버스로 지원희망
    서신 발송

  - 외교경로(주일대사관)를 통해 교섭 희망 제의했으나 상금
    회신 미접수

마. 모로코 (200만불)

  - 12.14. 희망품목 7개 제시 (방독면, 텐트등)

  - 현재 발송 준비중

3. 미국 및 기타

가. 미국 (총 8,000만불)

ㅇ 현금 지원(5,000만불)

  - 가집행

ㅇ 수송 지원 (3,000만불)

  - 아국 선박 이용한 수송 지원은 기실시

  - 경비지출은 곧 집행예정

0015

나. 유네스코
- 11.27. 유네스코 사무국 걸프사태 관계 난민학생 특별교육사업
  지원요망(총 소요액 189만불)
- 예비비에서 3-5만불이내 소규모 지원 검토중

다. 의료단 지원건
- 11.30. 사우디측에 군이동 외과 병원 파견 가능성 통보
- 12.9. 사우디측 환영의사 표명
- 12.29. 협상 대표단 사우디 파견

라. 쌀
- 방글라데시 지원 및 예비용 각 500만불 상당 배정
- FAO 협의, 농산물 수출국 협의등 절차의 복잡성 및 미국측의
  이의로 현재 보류중

4. 조치계획

ㅇ 대개도국 무상원조 방식에 준거하여 예산회계법상 대행 업체지정 및
  수의계약 체결 예정
ㅇ 수원국의 행정미비관계로 금년내 예산집행 못하는 경우 회계법상
  사고이월로 처리, 내년 집행 예정

0016

V. 걸프事態 情勢 및 展望

1. 狀況

가. 美.이락間 直接協商 決裂

걸프事態는 平和的 解決의 마지막 機會로 全世界의 期待를 모았던 美.이락 外務長官들간의 相互 訪問이 霧散될 可能性이 높아지고 있는 가운데 부쉬 美 大統領은 91.1.15. 까지 이라크가 쿠웨이트로 부터 完全 撤收하지 않을 경우 이락에 대한 武力 行使를 敢行할 것이라고 警告한데 대하여 이락은 유엔 安保理의 最後 通牒 性格인 同 時限 以前의 完全 撤收를 拒否하고 있어 兩側 모두 一戰不辭의 强硬한 姿勢를 固守, 걸프 域內에는 다시 武力衝突 可能性이 높아지고 있음.

나. 알제리 大統領의 仲裁 努力

Chadli Ben Jedid 알제리 大統領은 12.11-18간 요르단, 이락, 이란, 이집트, 시리아, 오만, 바레인, UAE, 카타르 中東 9個國을 巡訪한데 이어 이태리, 불란서, 스페인, 모로코, 모리타니아를 12.21-23간 訪問, 걸프事態의 平和的 解決을 위한 마지막 試圖로서 유엔 安保理 決議 時限 以前에 아랍人의 團結속에 戰爭을 回避하고 事態를 平和的 으로 解決해 보려고 努力하였으나 사우디측이 同 大統領의 訪問을 拒絶하여 目的을 거두지 못하였음.
Chadli 大統領은 事態解決 方案으로써 ①쿠웨이트로 부터의 이락軍의 撤收 ②이에 代替하는 아랍 平和軍 配置 ③사우디.이락간 不可侵 合意와 中東平和 國際會議 開催등을 提示한 것으로 알려졌으며, 이와같은 자신의 提案에 대한 이락, 이란, 이집트, 사우디등의 同意를 얻고자 全力을 기울였음.

다. 各國 居留民 撤收 開始

最近 美國, 이락間의 協商 日程 調整 失敗와 때를 맞추어 美國이 最近까지 維持해온 駐쿠웨이트 美 大使館 要員을 全員 撤收시킨데 이어 12.17.영국, 12.18. 태국, 12.19. 아일랜드, 12.20. 덴마크등은 戰爭 勃發 경우 影響을 받을수 있는 사우디, 특히 東部地域 및 리야드 등지와 바레인, 카타르, UAE 등지에 居留하고 있는 自國民의 撤收를 勸告하고 있어 戰爭의 危險이 상당히 높아지고 있다는 推測을 불러 일으키고 있음.

라. 세바르드나제 蘇聯 外務長官 電擊 辭任

걸프事態 勃發 以後 新國際秩序 樹立을 위하여 美國과 共同 補助를
취해왔던 세바르드나제 蘇聯 外務長官이 保守派와의 葛藤으로 12.20.
電擊 辭任함으로써 來年 1月 15日의 時限 以後 이라크와의 戰爭 可能性을
눈앞에 두고 있는 反이라크 陣營으로서는 過去 이락과의 敦篤한 關係에
비추어 지금까지 蘇聯이 취해온 걸프만 政策에 變化가 오고 結果的으로
反이라크 陣營에 結束이 弛緩되지 않을까 念慮하고 있음.

마. NATO 機動 打擊隊 터키 派遣

터키의 要請에 의하여 이미 NATO 에서 支援키로 한바있는 3個 飛行中隊
(50-54대)와 5천여명으로 構成된 나토 機動 打擊隊의 이락 國境地帶 派遣
問題가 現在 協議中에 있는바, 이는 이라크를 쿠웨이트로 부터 撤收시키기
위한 軍事 威脅의 一環인 同時에 터키 INCIRIK 空軍 기지에 駐屯하고 있는
美國의 F15, F16, F111등 戰鬪機가 對이락 戰爭에 參加할 경우, 터키가
이라크로 부터 直接 攻擊 對象이 될 경우에 對備한 것으로 보임.

2. 分 析

가. 이락의 意圖

1) 遲延 作戰

11.29. 安保理의 武力使用 承認 決議 直後 부쉬 美 大統領은 아지즈
長官의 美國 訪問과 베이커 長官의 바그다드 訪問等 交換 訪問을
提議하긴 했지만, 아지즈의 美國 訪問보다는 美國의 斷乎한 立場을
사담후세인 本人에게 直接 傳達할수 있는 確實한 方法으로서
베이커 長官의 이락 訪問에 거의 全的인 意味를 附與했던 것이나
이락은 베이커 美國務長官의 接受日程을 最大限 遲延시켜 유엔
決議 時限에 臨迫하게 함으로써 協商 進行中에 이 時限을 넘기고,
戰爭 勃發을 最大限 遲延시키려는 意圖가 있는 것으로 보임.
한편 베이키 美國務長官의 바그다드 訪問日程 問題로 美.이락
協商이 膠着狀態에 빠지게 됨으로써 EC가 아지즈 이락 外務長官의
訪問을 提議하고 이락도 이에 대해 相當한 期待를 했던 것으로
觀測되나 이것도 美國의 壓力으로 實現되지 못하였음.

0018

2) 팔레스타인 問題 連繫 作戰

이락은 쿠웨이트 事態를 팔레스타인 問題를 包含한 包括的인 中東
平和 問題의 一環으로 하여 아랍對 시온主義 또는 아랍對 美國의
對決로 變質시키려는 意圖하에 아랍내지 非아랍 회교권의 支持를
받아 유엔에서 中東平和 國際會議 開催를 提議하도록 努力을 기울이고
있음.

美國은 이락의 이러한 意圖를 看破하고 걸프事態와 팔레스타인
問題의 連繫를 極力 反對하면서 말레지아, 예멘등이 提議한 中東平和
國際會議 召集 決議案을 反對해 왔으나 이스라엘이 유엔 決議를
遵守하지 않고 있는데 對해 아무런 措置를 취하지 않으면서 이락
에게만 이를 遵守토록 强要하고 武力使用까지 承認하는 것은 二重的
基準 適用이라는 世界的 非難을 謀免하기 어려울 것이므로 결국은
安保理 議長 宣言으로 中東平和 國際會議 召集을 提議하는데
同意한 것으로 보임.

3) 多國籍軍 弛緩 作戰

이락側은 이러한 時間끌기 作戰으로 잃을것이 없다는 計算임.
즉, 걸프事態가 長期化 됨으로써 ①美國內 輿論이 보다더 深刻한
분열상을 보이거나 反戰 輿論이 擴散되기를 期待하고 있으며
②對이라크 經濟 封鎖에 同參하고 있는 多國籍軍 派遣 國家間의
連帶感 弛緩 내지 封鎖 전선을 瓦解 시킴으로써 現在 狀況에서
事態가 固着化 되는것을 最大의 目標로 하고 있음.

나. 美國의 立場

1) 一戰不辭 威脅 戰術

美國은 사담후세인으로 하여금 쿠웨이트로 부터 撤收를 履行하지
않으면 武力制裁를 甘受할수 밖에 없다는것을 認識시키는 것이
重要하다고 생각하고 있는것 같음.

그 背景으로는 ①91.1.15. 이라는 時限附 武力使用 最後 통첩과
②當初 베이커의 바그다드 訪問에 時日을 정하지 않고 있다가
1月初가 아니면 안보내겠다고 하므로써 1.15. 以後 軍事行動 開始
意思를 分明히 함. ③영국, 덴마크등 EC 同盟國들로 하여금 自國民을
撤收케 하므로써 開戰이 臨迫했다는 것을 暗示하고 ④극히 異例的
으로 12.21.에는 부쉬 大統領 自身이 同盟國 大使들을 백악관으로

0019

直接 불러 이락에 대한 開戰의 뜻을 분명히 했던점 등이며,
軍事的으로는 ①11.29. 美軍 20만 增派發表와 ②나토 機動
打擊隊의 터키 派遣 ③체니 國防長官과 파월 合參議長의 사우디
訪問等을 통하여 이락에 대한 斷乎한 攻擊 意志를 分明히 전하므로써
所謂 極限 政策을 繼續 追求, 이락에 대한 自進 撤軍 壓力을 加重
하고 있음.

2) <u>人質 釋放 및 人命 保護</u>

美國은 11.29. 유엔 安保理를 통하여 明年 1.15.을 이락軍 撤收
時限으로 못박음으로써 美國의 極限 政策은 國際的인 承認을 받은
것으로 評價하며, 이러한 强硬 路線이 이락으로 하여금 西方人質의
釋放 決定을 내리게 하는데 一助를 했을 가능성이 있음.
또한 이락에 대한 撤收 時限을 정하므로써 이 期間內에 可能한 많은
西方人이 撤收케 함으로써 戰爭 勃發時의 人命犧牲을 可能한 最小化
하려는 것으로 봄.

3) <u>部分的 解決 不容</u>

美國은 이락이 쿠웨이트로 부터 完全撤收 하는 것 以外에는 아무것도
받아들일수 없다는 確固한 立場을 거듭 分明히 하고 있는바, 이는
①사담후세인에게 美國의 決議에 대한 秋毫의 誤解도 있을수 없도록
하고 ②冷戰後 新秩序 樹立에 있어 힘의 支配가 아닌 法의 支配를
定着시켜야 한다는 부쉬의 意志를 과시하기 위해서도 必要하고
③反이락陣營 結束을 强化하기 위해서도 必要하기 때문인 것으로
보임.

3. 展 望

가. <u>이락軍의 部分撤收 可能性</u>

1) 美軍等 多國籍軍의 攻擊이 臨迫한 時點에 이르면 이락側이 쿠웨이트로
부터 갑짜기 部分撤收할 可能性도 있는바 그 徵候로는 ①이락側이
루마일라 油田地帶 및 걸프만으로의 進出에 必須的인 부비얀과 와르바
2개 島嶼등 쿠웨이트 北部地域만을 自國의 領土로 編入하기 위해
새로운 境界線을 劃定하는등 部分的 撤軍 움직임을 보이고 있으며
(CIA 보고) ②8년간의 이란, 이락戰에서 입은 損失을 쿠웨이트로
부터 報償 받고자 하는 터에 最小限의 體面을 세우지 않고 撤軍

0020

한다는 것은 사담후세인의 國內政治 立地上 어려운 實情임에 비추어 美國으로서도 이락이 일단 撤軍만 한다면, 쿠웨이트와의 領土 紛爭 問題는 當事國間 解決할 問題로 돌릴 可能性이 있음.

2) 이러한 可能性을 뒷받침할수 있는 것으로서 美國이 베이커 國務長官의 年例 NATO 外務長官 會談 參席 機會等을 活用하여 여사한 部分 撤軍 으로는 事態가 解決될수 없다는 점을 對이락 封鎖 戰線 參與國家 등에게 說得은 하고 있으나 實際 이락側이 部分撤軍을 行動으로 옮기는 경우 現在와 같은 强度의 多國的 封鎖 戰線이 維持되기는 어려울 것이라는 점임.

3) 득히 세바르드나제 蘇聯 外務長官의 辭任으로 蘇聯이 지금까지 취해온 共同 步調에서 離脫할 可能性도 排除할수 없으며, 이경우에는 對이락 多國籍 封鎖 路線이 瓦解될 素地가 있음.

4) 걸프事態의 當事者格에 該當하는 아랍권 一刻에서는 여사한 部分的 解決을 今番 事態의 窮極的 解決 方案으로 受諾하려는 움직임을 보이고 있고 이러한 움직임에 대한 國際的 支持가 擴散되는 경우 美側으로서도 部分的 撤收 以前과 같은 정도의 國際的인 支持를 確保하기 어려울 것이므로 아랍권의 解決 方案으로 이 問題를 들고나올때 이를 拒絶하기 어려울 것임.

5) 이 경우 美國內의 反戰 雰圍氣가 보다 더 擴散될 것이며, 이락에 대한 攻擊 名分을 喪失케 되어 議會 및 言論等의 對이락 攻擊 與否 論難이 더욱 紛紛해 질 것임.

6) 따라서 이락側이 電擊的으로 部分 撤軍을 斷行할 경우, 걸프事態는 部分的 解決 狀態의 固着化로 進展될 可能性이 있음.

나. 開戰 可能性

1) 事態의 武力解決 不可避論의 論據는 ①사담 후세인이 그간 취한 態度로 보아 事態를 平和的인 方法으로는 도저히 解決 不可能 하며 ②脫冷戰 體制의 新秩序 定立이 必要한 現時點에서 今番事態와 같은 武力에 의한 侵攻 및 不法的인 倂合을 容認할 경우, 將來 惹起될 여사한 事態에 대한 國際的 對應이 어려울 것이며 ③이락內 化學武器

施設, 核保有 (可能性)等을 現在 除去하지 않으면 將來 中東域内 勢力
均衡 問題 뿐만 아니라 이스라엘에게도 큰 威脅이 되고 ④그간 派遣한
大規模 美軍을 包含한 多國籍軍과 많은나라에 軍費까지 負擔시킨
狀態에서 유엔의 對이락 武力使用 承認 決議案까지 通過시켜 國際的
支持를 確保해 놓은 時點에서 事態의 部分的 解決을 收容할 名分이 없을
것이라는 점등임.

2) 美國이 戰爭을 開始할 경우 美側은 人命損失을 極小化 하고 이락의
反擊 能力을 制壓하기 위해, 電擊的이고 集中的인 大量 空中 爆擊으로
이락내 化學武器, 軍需施設, 미사일 基地, 核施設, 後方 補給線等을
强打하여 速戰 速決로 이락을 制壓하려 할 것임.

다. 걸프地域 集團安保 體制 構築
이락이 自進 撤收 또는 屈伏에 의한 撤收를 막론하고 어떠한 경우이던
美國은 걸프域內에 集團 安保 體制를 構築하고 美軍을 繼續 駐屯시킬
것이며 對이락 武器禁輸 措置等의 對이락 武力 弱化 措置를 취할 것으로
봄. 美國은 또한 아랍 友邦의 立場을 考慮하여 美國, 아랍 聯合軍의
形態로 美軍의 駐屯을 圖謀할 可能性도 있음.〜

0022

공   란

공   란

공 란

공   란

공   란

공 란

공   란

添　附

1. 我國의 支援 現況

2. 各國의 支援 現況

3. 各國의 醫療支援 現況

4. 페湾 事態 關聯, 多國籍軍과 이라크軍의 戰力 比較

<添 附>

1. 我國의 支援現況

가. 페만 事態 關聯 我國支援 槪要

(全體 支援 規模)

(單位：万弗)

年度＼區分	多國的軍 支援	周邊國 經濟支援	小　計
'90	9,500	7,500	17,000
'91	2,500	2,500	5,000
계	12,000	10,000	22,000

(90年度 支援 內譯)

(單位：万弗)

支援內譯＼國別	多國籍軍 活動			周邊國 및 國際機構				計
	現金	輸送	軍需物資	EDCF	生必品	쌀	IOM	
美國	5,000	3,000						8,000
이집트			700	1,500	800			3,000
터키				1,500	500			2,000

0031

支援內譯 / 國別	多國籍軍 活動			周邊國 및 國際機構				計
	現金	輸送	軍需物資	EDCF	生必品	쌀	IOM	
요르단				1,000	500			1,500
방글라데시						500		500
시리아			600		400			1,000
모로코			200					200
IOM							50	50
其他 (行政費)					50			50
豫備					200	500		700
小計	5,000	3,000	1,500	4,000	2,450	1,000	50	17,000
計	9,500			7,500				17,000

0032

(91年度 支援 計劃)

o 總 5,000万弗 支援 豫定

- 多國籍軍 活動 (總 2,500万弗), 周邊被害國 支援(2,500万弗)에 관해
細部 支援計劃 樹立 必要

- 美側과 協議 豫定

* 91年度 支援에 필요한 5,000万弗의 豫算中 3,000万弗은 '91會計年度
豫算에 반영(부족 豫算은 EDCF 借款等 活用 豫定)

나. 對美 支援 現況

o 現金 支援 : 總 5,000万弗

- 追更 豫算이 外務部 豫算으로 移管됨에 따라, 뉴욕 소재 美 聯邦
準備銀行(Federal Reserve Bank)의 ˝防衛協力 口座˝(Defense
Cooperation Account)에 12.26(수) 送金 措置

o 輸送 支援 : 總 3,000万弗中 1990年末까지 1,750万弗 相當 支援

- 貨物 航空機 支援 : 1990年末까지 24回에 걸쳐 約1,100万弗 상당 支援
- 貨物 船舶 支援 : 1990年末까지 3回에 걸쳐 約 650万弗 상당 支援

다. 其他 多國籍軍 活動 支援

o 多國籍軍 활동에 參與하고 있는 이집트, 시리아, 모로코등 國家에
대하여 1,500万弗 상당의 非殺傷用 軍需物資 支援을 위해 受援國과
協議中

0033

- 10.27-11.8 間 政府 調査團(團長:外務次官) 派遣 直接 協議
  * 非殺傷用 軍需物資 : 防毒面, 浸透保護衣, 解毒劑等 對化生放戰
    裝備

라. 周邊 被害國 支援 推進 現況(總 1億弗)
  o 이집트, 터키, 요르단, 시리아등 受援國과 生必品 支援 品目協議
    및 EDCF 事業 計劃 接受中
    - 10.27-11.8간 政府 調査團 派遣 協議

마. 其　他

  o 對 國際移民機構(IOM) 50万弗 支援
    - 90.12.27. 送金 措置

  o UNESCO 難民 子女教育 特別 資金 支援
    - 約 5万弗 支援 豫定

바. 醫療 支援團 派遣 推進計劃

  o 醫療團 派遣 推進 現況
    - 政府는 9.24. 페르시아만 事態 關聯 支援計劃 발표시 2億 2千万弗의
      支援에 추가하여 醫療團 派遣을 肯定的으로 檢討中임을 發表
    - 政府는 9.25. 醫療團 派遣時 配置地域, 指揮體系, 支援對象 등
      관련 사항에 대해 美側과 協議 開始
    - 美側은 11.1. 醫療團 派遣問題를 我國 政府가 직접 사우디 政府와
      交涉, 推進할 것을 勸誘

0034

o 政府는 12.3. 我國 醫療 支援團의 사우디 派遣에 대한 사우디측 意見을 打診

o 12.19. 사우디 國防部側은 我國 醫療 支援團의 派遣을 歡迎하고, 아래 條件을 提示함.
  - 91.1.15. 以前 派遣 希望
  - 사우디 醫務司令部 指揮 아래 동부 또는 알바틴 地域配置
  - 食糧, 燃料, 衣料品, 施設使用料, 警戒는 사우디 負擔

o 이에 따라 政府는 實務 協商團을 12.29-1.9간 사우디에 派遣
  - 青瓦臺, 安企部, 經企院, 外務部, 國防部 關係官으로 構成
    (團長 : 外務部 中東阿 局長)

┌─────────── * 사우디측과의 主要 協議 事項 ───────────┐
│ O 派遣 時期   │
│   - 대이라크 武力使用을 許容하는 11.29.字 유엔安保理 決議 內容을 │
│   감안, 대이라크 制裁措置에 대한 國際的인 努力에 同參 效果를 │
│   極大化하면서 美側의 追加 支援要請 가능성을 考慮할 필요   │
│   │
│ O 指揮體系 및 配置地域   │
│   │
│ O 補給支援 體制   │
│   │
│ O 現地 運營維持 支援   │
│   │
│ O 軍醫療施設 問題   │
│   │
│ O 警備要員 必要性   │
└───┘

0035

o 政府 協商 代表團의 사우디 政府와의 交涉結果에 따라 醫療 支援團 派遣
　推進

　　- 美側과 側面 緊密 協議 並行

　　- 兩國間 合意 到達時 國會 同意等 醫療團 派遣을 위한 國內節次 進行

　　　. 國民輿論 감안, 言論 및 國會에 대한 醫療團 派遣 필요성 및 名分
　　　　弘報 展開

　　　. 憲法 第60條 2項의 規定에 따른 國會 同意 節次 進行

```
――――――――――――― * 憲法 第60條 2項 ―――――――――――――
② 國會는 宣戰布告, 國軍의 外國에의 派遣 또는 外國軍隊의 大韓民國
   領域안에서의 駐留에 대한 同意權을 가진다.
```

0036

2. 各國의 支援現況

國 家	支援 約束額	對美 現金 支援	對美 物資등 軍需支援
日 本	40億弗 - 多國籍軍 20億 - 前線國家 20億	4億 2,600万弗	5,000万弗
獨 逸	20.8億弗(33億 마르크) - 多國籍軍 10.7億弗 - 前線國家 8億弗 - EC 基金 2.1億弗	2億 7,200万弗	6,500万弗
사우디	60億弗	7億 6,000万弗	2億 2,700万弗
쿠웨이트	40億弗(多國籍軍 25億)	25億弗	없 음
U.A.E.	20億弗(多國籍軍 10億)		3,000万弗
E C	20億弗	未 詳	未 詳
濠 洲	8百万弗(難民救護)	〃	〃

(實際 支援 現況은 90.11.29. 美國 國防部 發表 內容)

※ '90년도 美軍의 페灣 作戰 費用(美 國防部 推算) : 總 82 億弗

- 陸 軍 : 39 億弗

- 海 軍 : 16 億弗

- 空 軍 : 19 億弗

- 其 他 : 8 億弗

0037

3. 各國의 醫療團 派遣 現況

美 國

о 사우디 담만항에 病院船 2隻 派遣
  - 受容 能力 : 1,000 beds

о 사우디 알바틴에 綜合 醫療團 運營
  - 受容 能力 : 350 beds
  - 醫 療 團 : 專門醫 35名

英 國

о 醫師 200名 및 400 病床 規模의 野戰 病院 派遣

о 武力 충돌 發生에 대비, 약 1,500명의 追加 軍醫療員 確保키로 하고
  支援者 募集中
  - 90.12.28. 부족 軍醫療員 400명 確保를 위한 強制 動員令

0038

방글라데시

o 사우디 政府가 正式 特使 派遣하여 要請

- 派遣前 2-3名의 實務팀 訪問

- 適用 法律, 經費負擔 主體, 事故時 處理節次, 武器 및 彈藥 支給方法等
  諒解覺書를 作成, 사우디 政府에 修交

o 2個 醫務中隊 300名 派遣

- 將校 16名, 士兵 84名

파키스탄

o 사우디 政府가 正式 特使 派遣하여 要請

o 1個 醫務中隊 100여명

필리핀

o 民間 醫療 支援팀 240名 사우디 派遣

- 派遣에 따른 別途 協定 未締結

0039

폴란드

ㅇ 病院船 1隻 派遣 檢討中

濠 洲

ㅇ 2個 醫務팀 派遣 檢討中

체 코

ㅇ 野戰 病院 派遣 檢討中

泰 國

ㅇ 醫療陣 派遣 檢討中

日 本

ㅇ 民間 醫療陣 派遣 檢討를 위한 사우디 政府와의 交涉이 中斷狀態

0040

4. 多國籍軍과 이라크軍의 戰力 比較

	이 라 크	미 국	다 국 적 군
병력	510,000 명 (쿠웨이트 및 남부 이라크 주둔 병력)	270,000 명 (15만명 추가 파병중)	106,400 명(추가 파병 및 국경선 배치 병력 제외) - 이집트　　30,000 명 - 사우디　　20,000 명 - 영 국　　30,000 명 - 쿠웨이트　7,000 명 　(GCC 연합군 10,000명에 포함) - 시리아　　5,200 명 　(10,000명 추가 파병 예정, 　국경선 배치 50,000 명) - 프랑스　　5,000 명 - 파키스탄　5,000 명 - 모로코　　2,000 명 - 방글라데쉬 2,000 명 - 체 코　　200 명 - 터 키(국경선 배치 　　　　95,000 명)

0041

	이 라 크	미 국	다 국 적 군

탱크	4,000대
	
	(쿠웨이트 및
	남부 이라크
	주둔 병력)
		800 대
		
		(추가 파견
		M-1A1
		Abrams
		1000대중
		일부 도착)
			950 대
			
			- 이집트 300 대
			  (300대 추가 지원 예정)
			
			- 영 국 250 대
			  (43대 추가 지원 예정)
			
			- 프랑스 200 대
			
			- 사우디 200 대
			
			- 시리아(300대 지원 예정)

항공기	689 대	800 대 (A.F.P. 300대 추가 파견 보도)	309 대 - 사우디 130 대 - 프랑스 75 대 - 영 국 60 대 - 카나다 18 대 - 네덜란드 18 대 - 이태리 8 대 - 아르헨티나(2대 지원 예정)

0042

	이 라 크	미 국	다 국 적 군	
함 정	43 척	65 척 (USS America and USS Theodore 항공모함 추가 파견)	75 척 - 영 국 - 프랑스 - 사우디 - 독 일 - 소 련 - 호 주 - 뻴기에 - 카나다 - 이태리 - 네덜란드 - 스페인 - 아르헨티나 - 터 키 - 덴마크 - 그리스 - 포르투갈	16 척 15 척 8 척 7 척 4 척 3 척 3 척 3 척 3 척 3 척 3 척 2 척 2 척 1 척 1 척 1 척

0043

波灣事態 關聯 綜合 對策
(關係部處 長官會議 資料)

배부(file)
제외

— 처럼 그냥 재출라서

— 레이나 버진날에
(블라카도 동의)

91. 1. 5.

外 務 部

0044

目 次

1. 我國의 페르시아灣 事態에 대한 基本 立場 ～ ～ ～ ～ 1

2. 페르시아灣 事態 展望
   가. 戰爭 不可避論
   나. 戰爭 不可論
   다. 美國의 立場
   라. 이라크의 立場
   마. 第3國에 의한 仲裁
   바. 展 望

3. 戰爭 勃發 對備策
   가. 滯留者 安全 撤收
   나. 經濟 利益 保護
   다. 政府立場 表明

4. 對美 協力 問題
   가. 美國의 追加支援 要請 경우
   나. 戰鬪兵力 派遣 要請 경우
   다. 醫療 支援團 派遣 計劃

1. 我國의 ~~페르시아灣事態에 대한~~ 基本立場

　　가. 이락의 武力에 의한 紛爭 解決과 쿠웨이트 不法 合倂을 認定하지 않고
　　　　 對이락 制裁 措置에 同參을 促求하는 유엔 安保理의 關聯 諸決議 支持

　　나. 原油 導入先 및 建設市場으로서의 中東의 經濟的 重要性

　　다. 韓國 動亂中 美國을 包含한 유엔軍 參戰에 대한 嚴務 認識

　　라. ~~傳統 友邦~~ (미국)과의 安保 協力 維持

2. 페르시아灣 事態 展望

　　가. 戰爭 不可避論

　　　　○ 政治·外交的 側面

　　　　　　- 脫冷戰 時代의 新秩序 定立 必要

　　　　　　- 對이라크 武力 制裁에 必要한 國際的 與件 造成(유엔 安保理
　　　　　　　 武力 使用 決議)

　　　　○ 地域 安保 側面

　　　　　　- 中東地域 域內 勢力 均衡 維持(이라크의 勢力 弱化를 통한)

　　　　○ 經濟的 側面

　　　　　　- 후세인 政權의 OPEC 內에서의 影響力 除去(西方 經濟 保護)

　　나. 戰爭 不可論

　　　　○ 政治·外交的 側面

　　　　　　- 戰爭의 汎아랍主義 對 시온主義의 對決로 變質 可能性

　　　　　　- 아랍人의 反美 感情 高潮(中東地域에서의 長期的인 美國 利益에 不利)

　　　　　　- 부쉬 行政府 支持度 下落 憂慮

－1－

0046

o 軍事的 側面

　- 多國籍軍 人命被害(5,000名 以上 豫想)

　- 戰爭의 繼續 遂行 難關 豫想 (多國籍軍 結束 弛緩)

o 經濟的 側面

　- 油田 破壞 憂慮

　- 世界 經濟 不況 招來

다. 美國의 立場

o 美國, 武力 使用 可能性을 强力 暗示하는等 "極限 政策"(Brinkmanship)
繼續 追求

　- 91.1.15까지 이라크軍이 쿠웨이트로 부터 撤收하지 않을 경우,
對이라크 武力 使用을 許容하는 유엔 安保理 決議 678號 採擇에 成功

o 부쉬 大統領, 美-이라크 兩國 外務長官의 相互 交換 訪問 提議, 和戰
兩面 戰略 驅使

　- 부쉬 大統領의 同 提案이 이라크側의 無誠意로 成事될 可能性 稀薄

라. 이라크의 立場

o 美國의 兵力 增派, 유엔 安保理 決議 678號 通過等 國際的 壓力
加重에도 不拘, 人質 釋放外에 態度 變化 別無

　- 시간끌기 作戰으로 美國內 輿論 分裂, 對이라크 封鎖 戰線 瓦解等 企圖

마. 第3國에 의한 仲裁 (EC, 아랍정상등)

바. 展　望

o 1.15.을 앞두고 第3者의 外交的인 仲裁 努力으로 이라크의 部分撤收
可能性도 排除할수 없으나 戰爭 勃發 與否에 대해서 正確한 判斷이
어려움

0047

o 모든 對應策은 戰爭 勃發을 前提로 樹立함이 必要

3. 戰爭 勃發 對備策

가. 滯留者 安全 撤收

o 現　況 (1990.12.31. 現在) 91.1.4.

- 90.8.2. 事態 勃發 當時 이라크와 쿠웨이트 滯留者 : 1,327명

. 現在까지 安全撤收 人員 : 1,212名(쿠웨이트 殘留人員 9명은

個人事業上 撤收 不願)

- 이라크 殘留人員 116名은 公館員 및 家族과 業體所屬 必須要員

(公館員 및 家族 9명, 業體所屬 107명)

- 戰爭 危險地域인 사우디(중부, 동부, 북부), 바레인, 카타르, UAE,

요르단 滯留者 : 5,026명(현황 별첨)

o 措置事項 및 對策

- 駐이라크 大使에게 殘留人員 早速 撤收토록 指示

. 大使 包含 必須要員 3인을 除外한 公館員은 1.9.까지 撤收

. 公館 必須要員은 1.14.까지 隣近國家(희랍)로 臨時 待避

. 建設業體 職員도 最小 必須要員을 除外하고 早速 撤收 指示

. 必須要員은 公館 必須要員과 同時에 撤收토록 指示

- 戰爭 危險이 있는 隣近 5個國 駐在 公館에 滯留者의 安全對策 講究

指示

4. 經濟利益 保護 (글자체, 토대낼오 흥해안 들 잘 해야 하다)

　　ㅇ 原油需給

　　　〈短期 對策〉

　　　　　　　　　　　　　　　　　　출범리원

　　　　- 物量 確保를 위한 外交的 努力 傾注

　　　　　. 原油 導入先 多邊化(蘇聯, 中國 및 非中東國家等으로
　　　　　　 導入先 轉換)

　　　　　. 長期 供給 契約先 維持 및 擴大(特使派遣 檢討)

　　　　　. 美國과 相互 原油供給 協定締結 檢討

　　　　- 에너지 消費節約施策 强化

　　　〈長期 對策〉

　　　　- 國內外 油田開發 促進 및 代替 에너지 開發

　　　　- 石油備蓄提高

　　　　- 에너지 節約型 産業構造로 轉換

　　ㅇ 建　設

　　　〈短期 對策〉

　　　　- 事態 惡化로 現場 撤收時, 事後紛爭素地 可及的 除去
　　　　　. 發注處와 協議, 被害 極小化

　　　　- 戰爭의 擴散 對備, 隣近國家 進出 勤勞者 撤收 및 被害 最小化
　　　　　對策等 講究

　　　〈長期 對策〉

　　　　- 建設市場 多邊化(先進國, 東歐等) 및 技術集約型 建設로 轉換 推進

　　- 별차이등 곳에 대비

0049

다. 政府立場 表明

　o 戰爭 勃發 즉시 ~~外務部 當局者~~ 聲明 發表

　~~o~~ 事態 關聯 我國의 多國籍軍 支援等 基本 立場에 비추어 聲明發表가
　　必要하나 我國의 殘留 勤勞者 安全撤收에 미칠 影響을 감안 이라크를
　　過度하게 자극하는 內容은 삼가

　o 聲明 要旨 (文案 別添)
　　- ~~今番 걸프灣~~ 事態에 깊은 憂慮 表明
　　- 유엔 安保理의 ~~對이라크~~ 制裁 決議 ~~積極~~ 支持
　　- 撤軍 時限을 이라크가 拒否하여 戰爭이 勃發한 것을 慨嘆함
　　- 經濟援助 旣提供, 醫療支援團 派遣 豫定
　　- ~~이라크側에게 國際社會의 平和意志 收容 促求~~

0050

공 란

다. 醫療 支援團 派遣 計劃

　　○ 派遣 醫療團 槪要(사우디側과 協議中)

　　　- 規　　模 ： 100-200명

　　　- 配置地域 ： 사우디 東部 海岸(다란)으로부터 200KM 內陸 野戰病院

　　　- 指揮體系 ： 사우디 醫務司 所屬 (獨立 移動外科病院 또는 旣存

　　　　　　　　　　사우디 野戰病院 配置)

　　　- 團員地位 ： 사우디內 外交使節의 行政 技術職員과 同一한 特權,

　　　　　　　　　　免除 享有

0052

o 派遣 準備事項

  - 派遣에 앞서 사우디側과 醫療團 派遣에 따른 基本協定 및 滯留
    條件에 관한 約定 締結

    . 文案 合意時 駐사우디 大使로 하여금 署名토록함

    . 署名後 醫療團 派遣 必要한 國內節次 推進

  - 必要한 協定 締結後 150-200명 規模의 醫療지원단 本隊를 1월 말이나
    2월 초까지 派遣

o 派兵 同意 節次

  - 憲法 60조 2항에 따라 1月 中旬 次官會議, 國務會議를 거쳐
    1.24. 開會되는 臨時國會에 同意 要請

  - 國會 同意 要請 主管部署는 憲法關係 條項 및 過去 越南 派兵
    先例에 따라 國防部가 되어야 할것이나 醫療團 派遣에 따른
    國內外的인 波及 影響等을 감안 外務部, 國防部 共同 主管으로 함

o 豫算 措置

  - 사우디側은 醫療 支援團의 食糧, 燃料, 醫藥品 施設 使用料等을
    負擔 提議

  - 我側은 輸送, 海外手當, 醫療裝備等에 대한 經費가 所要되나
    具體的인 豫算 規模는 協商 代表團의 交涉 結果 후에 드러날 것임
    (國防部 醫療團 規模 200명의 경우 1년간 所要經費 120억원 推定)

  - 所要經費는 政府 歲出 豫算 豫備費 사용
    (걸프事態 支援金에서의 支出 方案은 當初 美側과의 約束에 비추어
     適切치 않음)

0053

o 弘報 計劃
- 사우디와 協議가 終了되고, 政府 最終 方針이 決定되는 대로 黨政
  協議會를 거쳐 與野 指導層에 事前 ~~正式~~ 通報 및 설명
- 弘報對策은 青瓦臺 政策調査 補佐官이 總括 調整
- 對内的으로 支持 輿論을 造成하고 對外的으로 美國等 友邦國에
  대한 我國의 積極的인 立場을 誇示
- 記者懇談會, 言論界, 學界人士 接觸을 통하여 我國 醫療 支援團의
  사우디 派遣 必要性을 弘報

－ 끝 －

0054

添　　附

1. 我國의 支援 現況

2. 各國의 支援 現況

3. 各國의 醫療支援 現況

4. 多國籍軍과 이라크軍의 戰力 比較

5. 戰爭 危險地域 滯留僑民 現況

6. 戰爭 勃發時 外務部 聲明(案)

7. 페灣事態 關聯 安保理 決議

〈添附〉

1. 我國의 支援現況

   가. 페만 事態 關聯 我國支援 概要

   (全體 支援 規模)

   (單位：万弗)

年度 \ 區分	多國的軍 支援	周邊國 經濟支援	小　計
'90	9,500	7,500	17,000
'91	2,500	2,500	5,000
계	12,000	10,000	22,000

   (90年度 支援 內譯)

   (單位：万弗)

支援內譯 \ 國別	多國籍軍 活動			周邊國 및 國際機構				計
	現金	輸送	軍需物資	EDCF	生必品	쌀	IOM	
美國	5,000	3,000						8,000
이집트			700	1,500	800			3,000
터키				1,500	500			2,000

0056

支援內譯 / 國別	多國籍軍 活動			周邊國 및 國際機構				計
	現金	輸送	軍需物資	EDCF	生必品	쌀	IOM	
요르단				1,000	500			1,500
방글라데시						500		500
시리아			600		400			1,000
모로코			200					200
IOM							50	50
其他(行政費)					50			50
豫備					200	500		700
小計	5,000	3,000	1,500	4,000	2,450	1,000	50	17,000
計	9,500			7,500				17,000

(91年度 支援 計劃)

o 總 5,000万弗 支援 豫定
   - 多國籍軍 活動 (總 2,500万弗), 周邊被害國 支援(2,500万弗)에 관해
     細部 支援計劃 樹立 必要
   - 美側과 協議 豫定

   * 91年度 支援에 필요한 5,000万弗의 豫算中 3,000万弗은 '91會計年度
     豫算에 반영(부족 豫算은 EDCF 借款等 活用 豫定)

나. 對美 支援 現況

   o 現金 支援 : 總 5,000万弗
     - 追更 豫算이 外務部 豫算으로 移管됨에 따라, 뉴욕 소재 美 聯邦
       準備銀行(Federal Reserve Bank)의 "防衛協力 口座"(Defense
       Cooperation Account)에 12.26(수) 送金 措置

   o 輸送 支援 : 總 3,000万弗中 1990年末까지 1,750万弗 相當 支援
     - 貨物 航空機 支援 : 1990年末까지 24回에 걸쳐 約1,100万弗 상당 支援
     - 貨物 船舶 支援   : 1990年末까지 3回에 걸쳐 約 650万弗 상당 支援

다. 其他 多國籍軍 活動 支援

   o 多國籍軍 활동에 參與하고 있는 이집트, 시리아, 모로코등 國家에
     대하여 1,500万弗 상당의 非殺傷用 軍需物資 支援을 위해 受援國과
     協議中

0058

- 10.27-11.8 間 政府 調査團(團長:外務次官) 派遣 直接 協議

* 非殺傷用 軍需物資 : 防毒面, 浸透保護衣, 解毒劑等 對化生放戰 裝備

라. 周邊 被害國 支援 推進 現況(總 1億弗)

o 이집트, 터키, 요르단, 시리아등 受援國과 生必品 支援 品目協議
  및 EDCF 事業 計劃 接受中
  - 10.27-11.8간 政府 調査團 派遣 協議

마. 其　他

o 對 國際移民機構(IOM) 50万弗 支援
  - 90.12.27. 送金 措置

o UNESCO 難民 子女敎育 特別 資金 支援
  - 約 5万弗 支援 豫定

바. 醫療 支援團 派遣 推進計劃

o 醫療團 派遣 推進 現況
  - 政府는 9.24. 페르시아만 事態 關聯 支援計劃 발표시 2億 2千万弗의
    支援에 추가하여 醫療團 派遣을 肯定的으로 檢討中임을 發表
  - 政府는 9.25. 醫療團 派遣時 配置地域, 指揮體系, 支援對象 등
    관련 사항에 대해 美側과 協議 開始
  - 美側은 11.1. 醫療團 派遣問題를 我國 政府가 직접 사우디 政府와
    交涉, 推進할 것을 勸誘

0059

o 政府는 12.3. 我國 醫療 支援團의 사우디 派遣에 대한 사우디측 意見을
  打診

o 12.19. 사우디 國防部側은 我國 醫療 支援團의 派遣을 歡迎하고,
  아래 條件을 提示함.
  - 91.1.15. 以前 派遣 希望
  - 사우디 醫務司令部 指揮 아래 동부 또는 알바틴 地域配置
  - 食糧, 燃料, 衣料品, 施設使用料, 警戒는 사우디 負擔

o 이에 따라 政府는 實務 協商團을 12.29-1.9간 사우디에 派遣
  - 靑瓦臺, 安企部, 經企院, 外務部, 國防部 關係官으로 構成
    (團長 : 外務部 中東阿 局長)

```
┌────────── * 사우디측과의 主要 協議 事項 ──────────┐
│                                                          │
│  o 派遣 時期                                              │
│    - 대이라크 武力使用을 許容하는 11.29.字 유엔安保理 決議 内容을   │
│      감안, 대이라크 制裁措置에 대한 國際的인 努力에  同參 効果를   │
│      極大化하면서 美側의 追加 支援要請 가능성을 考慮할 필요       │
│                                                          │
│  o 指揮體系 및 配置地域                                     │
│                                                          │
│  o 補給支援 體制                                           │
│                                                          │
│  o 現地 運營維持 支援                                       │
│                                                          │
│  o 軍醫療施設 問題                                         │
│                                                          │
│  o 警備要員 必要性                                         │
│                                                          │
└──────────────────────────────────────────────────────┘
```

0060

ㅇ 政府 協商 代表團의 사우디 政府와의 交涉結果에 따라 醫療 支援團 派遣 推進

- 美側과 側面 緊密 協議 竝行

- 兩國間 合意 到達時 國會 同意等 醫療團 派遣을 위한 國內節次 進行

  . 國民輿論 감안, 言論 및 國會에 대한 醫療團 派遣 필요성 및 名分 弘報 展開

  . 憲法 第60條 2項의 規定에 따른 國會 同意 節次 進行

───────────── * 憲法 第60條 2項 ─────────────
② 國會는 宣戰布告, 國軍의 外國에의 派遣 또는 外國軍隊의 大韓民國 領域안에서의 駐留에 대한 同意權을 가진다.

'0061

2. 各國의 支援現況

國家	支援 約束額	對美 現金 支援	對美 物資등 軍需支援
日 本	40億弗 - 多國籍軍 20億 - 前線國家 20億	4億 2,600万弗	5,000万弗
獨 逸	20.8億弗(33億 마르크) - 多國籍軍 10.7億弗 - 前線國家 8億弗 - EC 基金 2.1億弗	2億 7,200万弗	6,500万弗
사우디	60億弗	7億 6,000万弗	2億 2,700万弗
쿠웨이트	40億弗(多國籍軍 25億)	25億弗	없 음
U.A.E.	20億弗(多國籍軍 10億)		3,000万弗
E C	20億弗	未 詳	未 詳
濠 洲	8百万弗(難民救護)	〃	〃

(實際 支援 現況은 90.11.29. 美國 國防部 發表 內容)

※ '90년도 美軍의 페灣 作戰 費用(美 國防部 推算) : 總 82 億弗

- 陸 軍 : 39 億弗

- 海 軍 : 16 億弗

- 空 軍 : 19 億弗

- 其 他 : 8 億弗

0062

3. 各國의 醫療團 派遣 現況

美 國

ㅇ 사우디 담반항에 病院船 2隻 派遣
  - 受容 能力 : 1,000 beds

ㅇ 사우디 알바틴에 綜合 醫療團 運營
  - 受容 能力 : 350 beds
  - 醫 療 團 : 專門醫 35名

英 國

ㅇ 醫師 200名 및 400 病床 規模의 野戰 病院 派遣

ㅇ 武力 충돌 發生에 대비, 약 1,500명의 追加 軍醫療員 確保키로 하고
  支援者 募集中
  - 90.12.28. 부족 軍醫療員 400명 確保를 위한 强制 動員令

0063

방글라데시

ᴼ 사우디 政府가 正式 特使 派遣하여 要請

 - 派遣前 2-3名의 實務팀 訪問

 - 適用 法律, 經費負擔 主體, 事故時 處理節次, 武器 및 彈藥 支給方法等
諒解覺書를 作成, 사우디 政府에 修交

ᴼ 2個 醫務中隊 300名 派遣

 - 將校 16名, 士兵 84名

파키스탄

ᴼ 사우디 政府가 正式 特使 派遣하여 要請

ᴼ 1個 醫務中隊 100여명

필리핀

ᴼ 民間 醫療 支援팀 240名 사우디 派遣

 - 派遣에 따른 別途 協定 未締結

0064

폴란드

ㅇ 病院船 1隻 派遣 檢討中

濠 洲

ㅇ 2個 醫務팀 派遣 檢討中

체 크

ㅇ 野戰 病院 派遣 檢討中

泰 國

ㅇ 醫療陣 派遣 檢討中

日 本

ㅇ 民間 醫療陣 派遣 檢討를 위한 사우디 政府와의 交涉이 中斷狀態

0065

4. 多國籍軍과 이라크軍의 戰力 比較

	이 라 크	미 국	다 국 적 군
병력	510,000 명 (쿠웨이트 및 남부 이라크 주둔 병력)	270,000 명 (15만명 추가 파병중)	106,400 명(추가 파병 및 국경선 배치 병력 제외) - 이집트　　30,000 명 - 사우디　　20,000 명 - 영 국　　30,000 명 - 쿠웨이트　7,000 명 　(GCC 연합군 10,000명에 포함) - 시리아　　5,200 명 　(10,000명 추가 파병 예정, 　국경선 배치 50,000 명) - 프랑스　　5,000 명 - 파키스탄　5,000 명 - 모로코　　2,000 명 - 방글라데쉬 2,000 명 - 체 코　　　200 명 - 터 키(국경선 배치 　　　　95,000 명)

0066

	이 라 크	미 국	다 국 적 군

탱크	4,000대
	
	(쿠웨이트 및 남부 이라크 주둔 병력)
		800 대
		
		(추가 파견 M-1A1 Abrams 1000대중 일부 도착)
			950 대
			
			- 이집트 300 대
			  (300대 추가 지원 예정)
			
			- 영 국 250 대
			  (43대 추가 지원 예정)
			
			- 프랑스 200 대
			
			- 사우디 200 대
			
			- 시리아(300대 지원 예정)

항공기	689 대	800 대 (A.F.P. 300대 추가 파견 보도)	309 대 - 사우디 130 대 - 프랑스 75 대 - 영 국 60 대 - 카나다 18 대 - 네덜란드 18 대 - 이태리 8 대 - 아르헨티나(2대 지원 예정)

0067

	이 라 크	미 국	다 국 적 군		
함 정	43 척	65 척 (USS America and USS Theodore 항공모함 추가 파견)	75 척		
			- 영 국	16 척	
			- 프랑스	15 척	
			- 사우디	8 척	
			- 독 일	7 척	
			- 소 련	4 척	
			- 호 주	3 척	
			- 뻴기에	3 척	
			- 카나다	3 척	
			- 이태리	3 척	
			- 네덜란드	3 척	
			- 스페인	3 척	
			- 아르헨티나	2 척	
			- 터 키	2 척	
			- 덴마크	1 척	
			- 그리스	1 척	
			- 포르투갈	1 척	

0068

5. 戰爭 危險地域 滯留僑民 現況

(91.1.1. 現在)

國 家 別	總 滯 留 者 數	公館員, 商社, 建設業體 勤勞者	純 粹 僑 民 (現地就業者等)
사 우 디 (젯다 總領事館 管轄 中西部 以南地域除外)	3,750	2,383 (公館員 113, 業體 2,270)	1,367
이 라 크	125 (쿠웨이트 僑民 9명 包含)	116 (公館員 9, 業體 107)	9 (쿠웨이트 殘留 僑民 9명 包含)
요 르 단	89	12 (公館員 12, 業體 0)	77
바 레 인	335	278 (公館員 14, 業體 264)	57
카 타 르	77	19 (公館員 13, 業體 6)	58
U. A. E.	650	329 (公館員 19, 業體 310)	321
總 6個地域	5,026	3,137	1,889

0069

戰爭 勃發時 外務部 聲明(案)

1. 대한민국 정부는 이락이 무력을 사용하여 쿠웨이트를 불법 점령함으로써 일어난 금번 걸프만 사태에 깊은 우려를 표하여 왔으며, 국제사회에서 무력에 의한 불법적인 침략 행위가 결코 용납 되어서는 안된다는 국제법과 국제정의에 입각하여 UN 안보리의 대이락 제재 결의를 적극 지지하여 왔습니다.

2. 그러나, 금번 사태의 평화적 해결을 위해 유엔 안보리가 요구한 철군 시한을 이락측이 거부함으로써 사태가 전쟁으로 발전하게 된 것을 대한민국 정부는 개탄해 마지 않습니다.

3. 대한민국 정부는 국제 평화유지 노력에 적극 참여하고자 다국적군에 대한 군비지원 및 관련 전선국가에 대한 경제원조를 제공하였으며, 또한 다국적군에 대한 의료 지원을 위해 사우디에 의료지원단을 파견할 예정입니다.

4. 대한민국 정부는 이락측이 동 지역의 평화와 안정이 조속히 회복되기를 바라는 국제사회의 염원을 즉각 받아들일 것을 다시한번 촉구하는 바입니다.

0070

1. The Government of the Republic of Korea has expressed its deep concern over the current Gulf crisis generated by the Iraqi occupation of Kuwait by force, and has strongly supported the UN Security Council resolutions in the light of the international law and justice that armed agression should not be tolerated in the international community.

2. The Government of the Republic of Korea deplores that the crisis has turned into a war due to Iraq's refusing the deadline for the unconditional withdrawal of its troops from Kuwait.

3. The Government of the Republic of Korea has supported international efforts for a peaceful settlement by sharing financial burdens of multinational forces and by providing economic aids for the front line states to help maintain world peace and stability. In addition to this, the Korean Government is going to send a medical support group to Saudi Arabia to render medical care for the multinational forces.

4. The Government of the Republic of Korea urges the Iraqi Government to accept the collective will of the international community for the early restoration of peace and stability in the Gulf region.

폐灣事態 關聯 安保理 決議

決議案 票決日字	決議 主要 內容	投票結果 (贊:反:棄權)	決議番號
90.8.2.	○ 이락의 쿠웨이트 侵攻 糾彈 및 　 이락軍의 無條件 撤收 促求	14:0:0	660 (1990)
8.6.	○ 이락에 대한 廣範圍한 經濟制裁 措置 　 決定 　 - 安保理事會內에 制裁委員會 設置 　 - 유엔非會員國 包含 모든 國家의 　　 661號 履行 促求	13:0:2 (쿠바,에멘)	661
8.9.	○ 이락의 쿠웨이트 合倂 無效 看做 ○ 쿠웨이트 新政府 承認 禁止	15:0:0	662
8.18.	○ 이락, 쿠웨이트內 第3國民들의 卽刻 　 出國 許容 要求 ○ 外國公館 閉鎖 撤回 要求	15:0:0	664
8.25.	○ 決議 661號 違反 船舶에 대한 措置 　 權限 扶餘	13:0:2	665
9.13.	○ 人道的 目的의 對이락 食品 輸出 　 制限的 承認	13:0:2	665
9.16.	○ 쿠웨이트駐在 外國公館 侵入 非難 ○ 外國公館員 卽時 釋放 및 保護 要求	15:0:0	667
9.24.	○ 對이락 制裁措置에 따른 被害國 支援	15:0:0	669
9.25.	○ 모든 國家의 이락 및 쿠웨이트內 空港 　 離着陸 및 領空通過 不許 　 (人道的 食品 및 醫藥品 運送 除外) ○ 모든 國家에 의한 이락 國籍船舶 抑留 　 許容	14:1:0 (쿠바)	670
10.29.	○ 이락의 쿠웨이트 侵攻으로 인한 戰爭 　 被害 및 財政的 損失에 대한 이락의 　 責任 規定 및 追窮	13:0:2 (쿠바,에멘)	674
11.28.	○ 이락에 의한 쿠웨이트 國民의 國籍 　 抹消 企圖 非難 ○ 쿠웨이트 人口센서스 記錄의 유엔內 　 保存	15:0:0	667
11.29.	○ 이락이 91.1.15한 상기 安保理 諸決議를 　 履行치 않을 경우, 유엔 會員國에게 　 必要한 모든 措置를 취할 수 있도록 　 許容	12:2:1 (쿠바,에멘) (중국)	678

0072

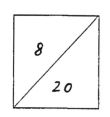

폐湾事態 關聯 綜合 對策

(關係部處 長官會議 資料)

91. 1. 5.

外 務 部

0073

目　　　　次

1. 我國의 基本 立場 1

2. 페르시아灣 事態 展望 1
   o 美國의 立場 1
   o 이라크의 立場 2
   o 展　望 2

3. 戰爭 勃發 對備策 3
   o 滯留者 安全 撤收 3
   o 經濟 利益 保護 4
   o 政府立場 表明 5

4. 對美 協力 問題 6
   o 美國의 追加支援 要請 경우 6
   o 戰鬪兵力 派遣 要請 경우 8
   o 醫療 支援團 派遣 計劃 8

0074

添 附

1. 我國의 支援 現況   11

2. 各國의 支援 現況   17

3. 各國의 醫療支援 現況   18

4. 多國籍軍과 이라크軍의 戰力 比較   21

5. 戰爭 危險地域 滯留僑民 現況   24

6. 戰爭 勃發時 外務部 聲明(案)   25

7. 페灣事態 關聯 安保理 決議   27

0075

1. 我國의 基本立場

o 이락의 武力에 의한 紛爭 解決과 쿠웨이트 不法 合倂을 認定하지 않고 對이락 制裁 措置에 同參을 促求하는 유엔 安保理의 關聯 諸決議 支持

o 原油 導入先 및 建設市場으로서의 中東의 經濟的 重要性

o 韓國 戰爭中 美國을 包含한 유엔軍 參與에 대한 道義的 考慮

o 美國과의 安保 協力 維持

2. 페르시아灣 事態 展望

〈 美國의 立場 〉

o 美國은 페르시아灣 地域 兵力 增强을 繼續하며 武力 使用 可能性을 强力 暗示 하는등 極限 政策 繼續 追求

- 1.15.까지 이라크軍이 쿠웨이트로부터 撤收하지 않을 경우 對이라크 武力 使用을 許容하는 유엔 安保理 決議 678號 採擇에 成功 (11.29.)

- 同日 美軍 20萬 增派 發表

o 부쉬 大統領은 자신이 제의한 兩國 外務長官 相互 訪問이 이라크側의 否定的 態度로 霧散될 可能性이 커지자 1.7.-9.중 兩國 外務長官 會談을 스위스에서 開催할 것을 다시 提議 (1.5.) 하는등 和戰 兩面 作戰 驅使

1

〈 이라크의 立場 〉

  ㅇ 美國의 兵力 增派, 유엔 安保理 決意 678號 通過等 國際的 壓力
    加重에도 不拘, 人質 釋放외에 態度 變化 없음.

    - 時間 끌기 作戰으로 美國議會 및 國民 輿論 分裂, 對이라크 封鎖
      戰線 瓦解等 企圖

    - 包括的 中東 平和 國際會議 開催를 主張, 페르시아灣 事態와
      팔레스타인 問題의 連繫 企圖

    - 事態를 자기에게 有利하게 展開하기 위하여 페르시아灣에서의
      戰爭 勃發을 원치 않는 美國 및 國際社會의 反戰 輿論을 活用

〈 展   望 〉

  ㅇ 美國, 이라크 兩側이 相互 立場을 後退하지 않고 强硬 路線을 繼續
    堅持하고 있는 現 狀況下에서는 外交的 方法에 의한 問題 解決
    可能性보다는 中東地域 戰爭 勃發 可能性이 큰 實情임.

  ㅇ 그러나 戰爭으로 인한 世界 經濟에 미치는 深大한 影響, 막대한
    人命 被害와 이에 따르는 美國內 支持 輿論 下落으로 부쉬 大統領
    再選에 미칠 影響, 短期的 勝利 可能性 不透明, 戰爭後 아랍人의
    反美 感情 高潮 可能性등 要因은 美國의 開戰 決斷을 어렵게 하고 있음.

  ㅇ 페르시아灣 事態가 戰爭으로 解決될 境遇 經濟的으로는 油價 上昇이
    世界 經濟에 미칠 影響이 지대할 것이며, 中東地域 問題에 있어서
    美國等 西方諸國, 이란, 파키스탄等 域外國家의 影響力이 强化될
    것으로 展望됨.

2

0077

o 事態가 美·이라크間 直接 協商, 第3者의 仲介등 外交的 努力으로
  解決될 境遇는 이라크의 健在로 이란, 시리아等이 이라크와 軍備
  競爭에 突入, 中東地域 情勢는 계속 不安해질 素地가 많음.

o 유엔 安保理 決議에 의한 撤收 時限인 1.15.을 앞두고 美·이라크間
  直接 協商等 外交 努力으로 이라크의 部分撤收 可能性도 있으나
  戰爭勃發 與否에 대하여 正確한 判斷이 어려움.

o 따라서 現 段階에서 對策은 戰爭 勃發을 前提로 樹立함이 必要함.

3. 戰爭 勃發 對備策

〈 滯留者 安全 撤收 〉

o 現   況(1991.1.4. 現在)
  - 90.8.2. 事態 勃發 當時 이라크와 쿠웨이트 滯留者 : 1,329명
    . 現在까지 安全撤收 人員 : 1,204名
  - 이라크 殘留人員 116名은 公館員 및 家族 9명과 業體所屬
    必須要員 107명
    . 91.1.9. 까지 26명(公館家族 3명, 業體 23명) 追加 撤收 豫定
  - 쿠웨이트 殘留人員 9명은 個人事業上 撤收 不願
  - 戰爭 被害 豫想 地域인 사우디(중서부 이남지역 제외), 바레인,
    카타르, UAE, 요르단 滯留者 : 5,026명(현황 별첨)

3   0078

o 措置事項 및 對策

- 駐이라크 大使에게 殘留人員 早速 撤收토록 指示
  ・ 大使 包含 必須要員 3인 (大使, 派遣官, 外信官) 을 除外한
    公館員은 1.9.까지 撤收
  ・ 公館 必須要員은 1.14.까지 隣近國家(희랍)로 臨時 待避
  ・ 公館 建物은 現地 雇傭員이 管理
  ・ 建設業體 職員도 最小 必須要員을 除外하고 早速 撤收 指示
  ・ 必須要員은 公館 必須要員과 同時에 撤收토록 指示
- 戰爭 被害 豫想 隣近 5個國 駐在 公館에 滯留者의 安全對策 講究
  指示

〈 經濟利益 保護 〉
  動資部, 建設部等 關係部處와 協議
o 原油需給
  短期 對策
  ─────────

- 物量 確保를 위한 外交的 側面 支援
  ・ 原油 導入先 多邊化(蘇聯, 中國 및 非中東國家等으로
    輸入先 代替 努力)
  ・ 長期 供給 契約先 維持 및 擴大
  ・ 美國과 相互 原油供給 協定締結 檢討
- 에너지 消費節約施策 强化

4

0079

長期 對策

- 國內外 油田開發 促進 및 代替 에너지 開發
- 石油備蓄 增量
- 에너지 節約型 産業構造로 轉換

o 建 設

短期 對策

- 事態 惡化로 現場 撤收時, 發注處와 協力, 被害 極少化,
  工事 繼續 與否 決定
  · 發注處와 協議, 被害 極少化
- 戰爭의 擴散 對備, 隣近國家 進出 勤勞者 撤收 및 被害 最少化
  對策等 講究

長期 對策

- 戰後 復舊事業 參與
- 建設市場 多邊化(先進國, 東歐等) 및 技術集約型 建設로 轉換 推進

〈 政府立場 表明 〉

o 戰爭 勃發 卽時 政府 聲明 發表
- 政府 代辯人, 外務部 代辯人
- 事態 關聯 我國의 多國籍軍 支援等 基本 立場에 비추어 聲明

5

0080

發表가 必要하나 我國의 殘留 勤勞者 安全撤收에 미칠 影響을
감안 이라크를 過度하게 자극하는 內容은 삼가

o 聲明 要旨 (文案 別添)

- 페르시아灣 事態에 깊은 憂慮 表明

- 유엔 安保理 關聯 決議 支持 再闡明

- 撤軍 時限을 이라크가 拒否하여 戰爭이 勃發한 것을 慨嘆함

- 多國籍軍 支援, 周邊 被害國에 대한 經濟援助 旣提供, 醫療支援團
  派遣 豫定

- 早速한 戰爭 終結 및 平和와 安定回復 促求

6

공   란

〈 醫療 支援團 派遣 計劃 〉

   ㅇ 派遣 醫療團 槪要(사우디側과 協議中)

     - 規　模 : 100-200명

     - 配置地域 : 사우디 東部 海岸(다란)으로부터 200KM 內陸 野戰病院

     - 指揮體系 : 사우디 醫務司 所屬 (獨立 單位病院 또는 旣存

                 사우디 野戰病院 配置)

     - 團員地位 : 사우디內 外交公館의 行政 技術職員과 同一한 特權,

             免除.享有 . 8

                       0083

o 派遣 準備事項

- 派遣에 앞서 사우디側과 醫療團 派遣에 따른 基本協定 및 滯留
  條件에 관한 約定 締結

  . 文案 合意時 駐사우디 大使로 하여금 署名토록함

  . 署名後 醫療團 派遣에 必要한 國內節次 推進

- 必要한 協定 締結後 100-200명 規模의 醫療지원단 本隊를 1월 말이나
  2월 초까지 派遣

o 派遣 同意 節次

- 憲法 60조 2항에 따라 1月 中旬 次官會議, 國務會議를 거쳐
  1.24. 開會되는 臨時國會에 同意 要請

- 國會 同意 要請 主管部署는 憲法關係 條項 및 過去 越南 派兵
  先例에 따라 國防部가 되어야 할것이나 醫療團 派遣에 따른
  國內 對策등을 감안 外務部, 國防部 共同 主管으로 함

o 豫算 措置

- 사우디側은 醫療 支援團의 食糧, 燃料, 醫藥品 施設 使用料等을
  負擔 提議

- 我側은 輸送, 海外手當, 醫療裝備等에 대한 經費가 所要되나
  具體的인 豫算 規模는 協商 代表團의 交涉 結果 後에 드러날 것임
  (國防部 醫療團 規模 200명의 경우 1년간 所要經費 120억원 推定)

9

- 所要經費는 政府 歲出 豫算 豫備費 使用
  (페르시아灣 事態 支援金에서의 支出 方案은 當初 美側과의 約束에
  비추어 適切치 않음)
o 弘報 計劃
  - 사우디와 協議가 終了되고, 政府 最終 方針이 決定되는 대로 黨政
    協議會를 거쳐 與野 指導層에 事前 通報 및 說明
  - 對內的으로 支持 輿論을 造成하고 對外的으로 美國等 友邦國에
    대한 我國의 積極的인 立場을 誇示
  - 記者懇談會, 言論界, 學界人士 接觸을 통하여 我國 醫療 支援團의
    사우디 派遣 必要性을 弘報 (靑瓦臺 主管). 끝.

10

0085

〈添 附〉

1. 我國의 支援現況

가. 폐만 事態 關聯 我國支援 槪要

(全體 支援 規模)

(單位：万弗)

年度 \ 區分	多國的軍 支援	周邊國 經濟支援	小 計
'90	9,500	7,500	17,000
'91	2,500	2,500	5,000
계	12,000	10,000	22,000

(90年度 支援 內譯)

(單位：万弗)

支援 內譯 \ 國別	多國籍軍 活動			周邊國 및 國際機構				計
	現 金	輪 送	軍需物資	EDCF	生必品	쌀	IOM	
美 國	5,000	3,000						8,000
이집트			700	1,500	800			3,000
터 키				1,500	500			2,000

11

0086

(單位 : 万弗)

支援內譯 / 國別	多國籍軍 活動			周邊國 및 國際機構				計
	現金	輸送	軍需物資	EDCF	生必品	쌀	IOM	
요르단				1,000	500			1,500
방글라데시						500		500
시리아			600		400			1,000
모로코			200					200
IOM							50	50
其他 (行政費)					50			50
豫備					200	500		700
小計	5,000	3,000	1,500	4,000	2,450	1,000	50	17,000
計	9,500			7,500				17,000

12   0087

(91年度 支援 計劃)

o 總 5,000万弗 支援 豫定
  - 多國籍軍 活動 (總 2,500万弗), 周邊被害國 支援(2,500万弗)에 관해
    細部 支援計劃 樹立 必要
  - 美側과 協議 豫定

  * 91年度 支援에 필요한 5,000万弗의 豫算中 3,000万弗은 '91會計年度
    豫算에 반영(부족 豫算은 EDCF 借款等 活用 豫定)

나. 對美 支援 現況

  o 現金 支援 : 總 5,000万弗
    - 追更 豫算이 外務部 豫算으로 移管됨에 따라, 뉴욕 소재 美 聯邦
      準備銀行(Federal Reserve Bank)의 "防衞協力 口座"(Defense
      Cooperation Account)에 12.26(수) 送金 措置

  o 輸送 支援 : 總 3,000万弗中 1990年末까지 1,750万弗 相當 支援
    - 貨物 航空機 支援 : 1990年末까지 24回에 걸쳐 約1,100万弗 상당 支援
    - 貨物 船舶 支援   : 1990年末까지 3回에 걸쳐 約 650万弗 상당 支援

다. 其他 多國籍軍 活動 支援

  o 多國籍軍 활동에 參與하고 있는 이집트, 시리아, 모로코등 國家에
    대하여 1,500万弗 상당의 非殺傷用 軍需物資 支援을 위해 受援國과
    協議中

13

0088

- 10.27-11.8 間 政府 調査團(團長:外務次官) 派遣 直接 協議
* 非殺傷用 軍需物資 : 防毒面, 浸透保護衣, 解毒劑等 對化生放戰 裝備

라. 周邊 被害國 支援 推進 現況(總 1億弗)

ㅇ 이집트, 터키, 요르단, 시리아등 受援國과 生必品 支援 品目協議 및 EDCF 事業 計劃 接受中

- 10.27-11.8간 政府 調査團 派遣 協議

마. 其 他

ㅇ 對 國際移民機構(IOM) 50万弗 支援

- 90.12.27. 送金 措置

ㅇ UNESCO 難民 子女教育 特別 資金 支援

- 約 5万弗 支援 豫定

바. 醫療 支援團 派遣 推進計劃

ㅇ 醫療團 派遣 推進 現況

- 政府는 9.24. 페르시아만 事態 開聯 支援計劃 발표시 2億 2千万弗의 支援에 추가하여 醫療團 派遣을 肯定的으로 檢討中임을 發表
- 政府는 9.25. 醫療團 派遣時 配置地域, 指揮體系, 支援對象 등 관련 사항에 대해 美側과 協議 開始
- 美側은 11.1. 醫療團 派遣問題를 我國 政府가 직접 사우디 政府와 交涉, 推進할 것을 勸誘

14

0089

걸프사태 : 대책 및 조치, 1990-91. 전11권 (V.5 1991.1.2-17) 95

○ 政府는 12.3. 我國 醫療 支援團의 사우디 派遣에 대한 사우디측 意見을 打診

○ 12.19. 사우디 國防部側은 我國 醫療 支援團의 派遣을 歡迎하고, 아래 條件을 提示함.
  - 91.1.15. 以前 派遣 希望
  - 사우디 醫務司令部 指揮 아래 동부 또는 알바틴 地域配置
  - 食糧, 燃料, 衣料品, 施設使用料, 警戒는 사우디 負擔

○ 이에 따라 政府는 實務 協商團을 12.29-1.9간 사우디에 派遣
  - 靑瓦臺, 安企部, 經企院, 外務部, 國防部 關係官으로 構成
    (團長 : 外務部 中東阿 局長)

```
┌──────────── * 사우디측과의 主要 協議 事項 ────────────┐
│ ○ 派遣 時期                                                    │
│   - 대이라크 武力使用을 許容하는 11.29.字 유엔安保理 決議 內容을 │
│     감안, 대이라크 制裁措置에 대한 國際的인 努力에  同參 효과를 │
│     極大化하면서 美側의 追加 支援要請 가능성을 考慮할 必要      │
│                                                               │
│ ○ 指揮體系 및 配置地域                                         │
│                                                               │
│ ○ 補給支援 體制                                                │
│                                                               │
│ ○ 現地 運營維持 支援                                           │
│                                                               │
│ ○ 軍醫療施設 問題                                              │
│                                                               │
│ ○ 警備要員 必要性                                              │
└───────────────────────────────────────────────┘
```

15

0090

o 政府 協商 代表團의 사우디 政府와의 交涉結果에 따라 醫療 支援團 派遣 推進

- 美側과 側面 緊密 協議 竝行

- 兩國間 合意 到達時 國會 同意等 醫療團 派遣을 위한 國內節次 進行

. 國民與論 감안, 言論 및 國會에 대한 醫療團 派遣 필요성 및 名分 弘報 展開

. 憲法 第60條 2項의 規定에 따른 國會 同意 節次 進行

─────── * 憲法 第60條 2項 ───────
② 國會는 宣戰布告, 國軍의 外國에의 派遣 또는 外國軍隊의 大韓民國 領域안에서의 駐留에 대한 同意權을 가진다.

16

0091

2. 各國의 支援現況

國 家	支援 約束額	對美 現金 支援	對美 物資등 軍需支援
日 本	40億弗 - 多國籍軍 20億 - 前線國家 20億	4億 2,600万弗	5,000万弗
獨 逸	20.8億弗(33億 마르크) - 多國籍軍 10.7億弗 - 前線國家 8億弗 - EC 基金 2.1億弗	2億 7,200万弗	6,500万弗
사우디	60億弗	7億 6,000万弗	2億 2,700万弗
쿠웨이트	40億弗(多國籍軍 25億)	25億弗	없 음
U.A.E.	20億弗(多國籍軍 10億)		3,000万弗
E C	20億弗	未 詳	未 詳
濠 洲	8百万弗(難民救護)	〃	〃

(實際 支援 現況은 90.11.29. 美國 國防部 發表 內容)

※ '90년도 美軍의 페灣 作戰 費用(美 國防部 推算) : 總 82 億弗

- 陸 軍 : 39 億弗

- 海 軍 : 16 億弗

- 空 軍 : 19 億弗

- 其 他 : 8 億弗

17

0092

3. 各國의 醫療團 派遣 現況

美 國

◦ 사우디 담만항에 病院船 2隻 派遣
  - 受容 能力 : 1,000 beds

◦ 사우디 알바틴에 綜合 醫療團 運營
  - 受容 能力 : 350 beds
  - 醫療團 : 專門醫 35名

英 國

◦ 醫師 200名 및 400 病床 規模의 野戰 病院 派遣

◦ 武力 충돌 發生에 대비, 약 1,500명의 追加 軍醫療員 確保키로 하고
  支援者 募集中
  - 90.12.28. 부족 軍醫療員 400명 確保를 위한 強制 動員令

18

방글라데시

o 사우디 政府가 正式 特使 派遣하여 要請

　- 派遣前 2-3名의 實務팀 訪問

　- 適用 法律, 經費負擔 主體, 事故時 處理節次, 武器 및 彈藥 支給方法等 諒解覺書를 作成, 사우디 政府에 修交

o 2個 醫務中隊 300名 派遣

　- 將校 16名, 士兵 84名

파키스탄

o 사우디 政府가 正式 特使 派遣하여 要請

o 1個 醫務中隊 100여명

필리핀

o 民間 醫療 支援팀 240名 사우디 派遣

　- 派遣에 따른 別途 協定 未締結

19

0094

폴란드

ㅇ 病院船 1隻 派遣 檢討中

濠 洲

ㅇ 2個 醫務팀 派遣 檢討中

체 코

ㅇ 野戰 病院 派遣 檢討中

泰 國

ㅇ 醫療陣 派遣 檢討中

日 本

ㅇ 民間 醫療陣 派遣 檢討를 위한 사우디 政府와의 交涉이 中斷狀態

20

4. 多國籍軍과 이라크軍의 戰力 比較

	이 라 크	미 국	다 국 적 군
병력	510,000 명 (쿠웨이트 및 남부 이라크 주둔 병력)	270,000 명 (15만명 추가 파병중)	106,400 명(추가 파병 및 국경선 배치 병력 제외) - 이집트　　30,000 명 - 사우디　　20,000 명 - 영국　　30,000 명 - 쿠웨이트　7,000 명 　(GCC 연합군 10,000명에 포함) - 시리아　　5,200 명 　(10,000명 추가 파병 예정, 　국경선 배치 50,000 명) ∨ - 프랑스　　5,000 명 ∨ - 파키스탄　5,000 명 - 모로코　　2,000 명 - 방글라데쉬　2,000 명 - 체 코　　　200 명 - 터 키(국경선 배치 　　　95,000 명)

21

0096

	이 라 크	미 국	다 국 적 군

탱크	4,000대
	
	(쿠웨이트 및
	남부 이라크
	주둔 병력)
		800 대
		
		(추가 파견
		M-1A1
		Abrams
		1000대중
		일부 도착)
			950 대
			
			- 이집트 300 대
			  (300대 추가 지원 예정)
			
			- 영 국 250 대
			  (43대 추가 지원 예정)
			
			- 프랑스 200 대
			
			- 사우디 200 대
			
			- 시리아(300대 지원 예정)

항공기	689 대	800 대 (A.F.P. 300대 추가 파견 보도)	309 대 - 사우디 130 대 - 프랑스 75 대 - 영 국 60 대 - 카나다 18 대 - 네덜란드 18 대 - 이태리 8 대 - 아르헨티나(2대 지원 예정)

22

0097

걸프사태 : 대책 및 조치, 1990-91. 전11권 (V.5 1991.1.2-17) 103

	이 라 크	미 국	다 국 적 군		
함 정	43 척	65 척 (USS America and USS Theodore 항공모함 추가 파견)	75 척		
			- 영 국	16 척	
			- 프랑스	15 척	
			- 사우디	8 척	
			- 독 일	7 척	
			- 소 련	4 척	
			- 호 주	3 척	
			- 벨기에	3 척	
			- 카나다	3 척	
			- 이태리	3 척	
			- 네덜란드	3 척	
			- 스페인	3 척	
			- 아르헨티나	2 척	
			- 터 키	2 척	
			- 덴마크	1 척	
			- 그리스	1 척	
			- 포르투갈	1 척	

23

5. 戰爭 危險地域 滯留僑民 現況

(91.1.4. 現在)

國家別	總滯留者數	公館員, 商社, 建設業體 勤勞者	純粹僑民 (現地就業者等)
사 우 디 (젯다 總領事館 管轄 中西部 以南地域除外)	3,750	2,383 (公館員 113, 業體 2,270)	1,367
이 라 크	125 (쿠웨이트 僑民 9명 包含)	116 (公館員 9, 業體 107)	9 (쿠웨이트 殘留 僑民 9명 包含)
요 르 단	89	12 (公館員 12, 業體 0)	77
바 레 인	335	278 (公館員 14, 業體 264)	57
카 타 르	77	19 (公館員 13, 業體 6)	58
U. A. E.	650	329 (公館員 19, 業體 310)	321
總 6個地域	5,026	3,137	1,889

0099

걸프사태 : 대책 및 조치, 1990-91. 전11권 (V.5 1991.1.2-17) 105

戰爭 勃發時 外務部 聲明(案)

1. 대한민국 정부는 이락이 무력을 사용하여 쿠웨이트를 불법 점령함으로써 일어난 금번 걸프만 사태에 깊은 우려를 표하여 왔으며, 국제사회에서 무력에 의한 불법적인 침략 행위가 결코 용납 되어서는 안된다는 국제법과 국제정의에 입각하여 UN 안보리의 대이락 제재 결의를 적극 지지하여 왔습니다.

2. 그러나, 금번 사태의 평화적 해결을 위해 유엔 안보리가 요구한 철군 시한을 이락측이 거부함으로써 사태가 전쟁으로 발전하게 된 것을 대한민국 정부는 개탄해 마지 않습니다.

3. 대한민국 정부는 국제 평화유지 노력에 적극 참여하고자 다국적군에 대한 군비지원 및 관련 전선국가에 대한 경제원조를 제공하였으며, 또한 다국적군에 대한 의료 지원을 위해 사우디에 의료지원단을 파견할 예정입니다.

4. 대한민국 정부는 이락측이 동 지역의 평화와 안정이 조속히 회복되기를 바라는 국제사회의 염원을 존중하여 쿠웨이트로부터 즉각 철수할 것을 촉구하는 바입니다.

25

0100

1. The Government of the Republic of Korea has expressed its deep concern over the current Gulf crisis generated by the Iraqi occupation of Kuwait by force, and has strongly supported the UN Security Council resolutions in the light of the international law and justice that armed agression should not be tolerated in the international community.

2. The Government of the Republic of Korea deplores that the crisis has turned into a war due to Iraq's refusing the deadline for the unconditional withdrawal of its troops from Kuwait.

3. The Government of the Republic of Korea has supported international efforts for a peaceful settlement by sharing financial burdens of multinational forces and by providing economic aids for the front line states to help maintain world peace and stability.   In addition to this, the Korean Government is going to send a medical support group to Saudi Arabia to render medical care for the multinational forces.

4. The Government of the Republic of Korea urges the Iraqi Government to respect the aspiration of the international community for the early restoration of peace and stability in the Gulf region and to withdraw immediately its troops from Kuwait.

26

0101

페灣事態 關聯 安保理 決議

決議案 票決日字	決議 主要 內容	投票結果 (贊:反:棄權)	決議番號
90.8.2.	○ 이락의 쿠웨이트 侵攻 糾彈 및 이락軍의 無條件 撤收 促求	14:0:0	660 (1990)
8.6.	○ 이락에 대한 廣範圍한 經濟制裁 措置 決定 - 安保理事會內에 制裁委員會 設置 - 유엔非會員國 包含 모든 國家의 661號 履行 促求	13:0:2 (쿠바,예멘)	661
8.9.	○ 이락의 쿠웨이트 合倂 無效 看做 ○ 쿠웨이트 新政府 承認 禁止	15:0:0	662
8.18.	○ 이락,쿠웨이트內 第3國民들의 即刻 出國 許容 要求 ○ 外國公館 閉鎖 撤回 要求	15:0:0	664
8.25.	○ 決議 661號 違反 船舶에 대한 措置 權限 扶餘	13:0:2	665
9.13.	○ 人道的 目的의 對이락 食品 輸出 制限的 承認	13:0:2	665
9.16.	○ 쿠웨이트駐在 外國公館 侵入 非難 ○ 外國公館員 即時 釋放 및 保護 要求	15:0:0	667
9.24.	○ 對이락 制裁措置에 따른 被害國 支援	15:0:0	669
9.25.	○ 모든 國家의 이락 및 쿠웨이트內 空港 離着陸 및 領空通過 不許 (人道的 食品 및 醫藥品 運送 除外) ○ 모든 國家에 의한 이락 國籍船舶 抑留 許容	14:1:0 (쿠바)	670
10.29.	○ 이락의 쿠웨이트 侵攻으로 인한 戰爭 被害 및 財政的 損失에 대한 이락의 責任 規定 및 追窮	13:0:2 (쿠바,예멘)	674
11.28.	○ 이락에 의한 쿠웨이트 國民의 國籍 抹消 企圖 非難 ○ 쿠웨이트 人口센서스 記錄의 유엔內 保存	15:0:0	667
11.29.	○ 이락이 91.1.15한 상기 安保理 諸決議를 履行치 않을 경우, 유엔 會員國에게 必要한 모든 措置를 취할 수 있도록 許容	12:2:1 (쿠바,예멘) (중국)	678

예 고 : 91.3.31. 파기

27

0102

공   란

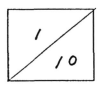

걸灣 事態 展望 및 僑民 安全 對策

1991. 1. 7.

外　　務　　部

0104

1. 페르시아灣 事態 展望

〈 美國의 立場 〉

o 美國은 페르시아灣 地域 兵力 增强을 繼續하며 武力 使用 可能性을 强力 暗示 하는등 極限 政策 繼續 追求

- 1.15.까지 이라크軍이 쿠웨이트로부터 撤收하지 않을 경우 對이라크 武力 使用을 許容하는 유앤 安保理 決議 678號 採擇에 成功 (11.29)
- 이보다 앞서 11.8. 美軍 28萬 增派 發表

o 부쉬 大統領은 兩國 外務長官 相互 訪問 提議等 和戰 兩面 作戰 驅使

- 이라크側은 팔레스타인 問題도 擧論할 것임을 示唆 하면서 1.9. 제네바 美.이라크 外務長官 會談 開催 受諾
- 美國側은 이라크의 쿠웨이트 撤軍과 팔레스타인 問題 連繫 反對

〈 이라크의 立場 〉

o 美國의 兵力 增派, 유앤 安保理 決議 678號 通過等 國際的 壓力 加重에도 不拘, 人質 釋放외에 態度 變化 없음

- 時間 끌기 作戰으로 美國議會 및 國民 輿論 分裂, 對이라크 封鎖 戰線 瓦解等 企圖
- 包括的 中東 平和 國際會議 開催를 主張, 페르시아灣 事態와 팔레스타인 問題의 連繫 企圖
- 事態를 자기에게 有利하게 展開하기 위하여 페르시아灣에서의 戰爭 勃發을 원치 않는 美國 및 國際社會의 反戰 輿論을 活用

0105

〈 展　望 〉

○ 美國, 이라크 兩側이 相互 立場을 後退하지 않고 强硬 路線을 繼續
　　堅持하고 있는 現 狀況下에서는 일단 戰爭 勃發 可能性이 크다고
　　보아야 하겠으나 1.9. 開催 美·이라크 外務長官 會談의 歸趨가 注目됨

○ 그러나 戰爭으로 인한 世界 經濟에 미치는 深大한 影響, 막대한 人命
　　被害와 이에 따르는 美國內 支持 輿論 下落으로 부쉬 大統領 再選에
　　미칠 影響, 短期的 勝利 可能性 不透明, 戰爭後 아랍人의 反美 感情
　　高潮 可能性등 要因은 美國의 開戰 決斷을 어렵게 하고 있음.

○ 페르시아灣 事態가 戰爭으로 解決될 境遇 經濟的으로는 油價 上昇이
　　世界 經濟에 미칠 影響이 지대할 것이며, 中東地域 問題에 있어서
　　美國等 西方諸國, 이란, 파키스탄等 域外國家의 影響力이 强化될 것으로
　　展望됨.

○ 事態가 美·이라크間 直接 協商, 第3者의 仲介등 外交的 努力으로 解決될
　　境遇는 이라크의 健在로 이란, 시리아等이 이라크와 軍備 競爭에 突入,
　　中東地域 情勢는 繼續 不安해질 素地가 많음.

○ 유엔 安保理 決議에 의한 撤收 時限인 1.15.을 앞두고 美·이라크間 直接
　　協商等 外交 努力으로 이라크의 部分撤收 可能性도 있으나 戰爭勃發 與否에
　　대하여 正確한 判斷이 어려움.

○ 따라서 現 段階에서 對策은 戰爭 勃發을 前提로 樹立함이 必要함.

0106

2. 戰爭 勃發 對備 僑民 安全 對策

〈僑民 安全 撤收〉

o 現　　況(91.1.6. 現在)

- 90.8.2. 事態 勃發 當時 이라크와 쿠웨이트 滯留者 : 1,329명

  . 現在까지 安全撤收 人員 : 1,204名

- 이라크 殘留人員 116名은 公館員 및 家族 9명과 業體所屬 必須要員 107명

  . 1.9. 까지 26명(公館職員 家族 및 雇傭員 3명, 業體 23명) 追加

    撤收 豫定

- 쿠웨이트 殘留人員 9명은 個人事業上 撤收 不願

- 戰爭 被害 豫想 地域인 사우디(中西部 以南地域 除外), 바레인, 카타르,

  UAE, 요르단 滯留者 : 4,901명(現況 別添)

o 措置事項 및 對策

- 駐이라크 大使에게 殘留人員 早速 撤收토록 指示

  . 大使 包含 必須要員 3인(大使, 派遣官, 外信官)을 除外한 公館員은

    1.9.까지 撤收

  . 公館 必須要員은 1.14.頃 友邦公館의 動向을 參考하여 隣近國家

    (희랍)로 臨時 待避

  . 公館 建物은 現地 雇傭員이 管理

  . 建設業體 職員도 最小 必須要員을 除外하고 早速 撤收 指示

  . 必須要員은 公館 必須要員과 同時에 撤收토록 指示

  . 터키, 이란, 요르단등 3個 公館에 待避 또는 經由 撤收僑民에 대한

    協調方案 講究 指示

0107

- 戰爭 被害 豫想 隣近 5個國 駐在 公館에 現地 實情을 考慮 自進 撤收 勸誘, 安全地域 待避等 滯留者의 安全對策 講究 指示
- 駐사우디 大使 主宰로 91.1.6.-7.間 걸프 地域 6個國 駐在 公館長 會議를 開催, 對策 協議 豫定

〈僑民 保護〉

o 化學戰 對備, 사우디.이라크等 걸프地域 6個國 駐在 我國 公館 및 滯留者에 대해 防毒面等 化學戰 裝備 支援
  - 公館員 및 家族 200名에 대한 裝備 旣支給
  - 建設部等 有關部處와 協調, 商社.建設業體所屬 勤勞者用 防毒面 早期 送付 指示
    . 業體의 現地 通關上 隘路 감안, 外交 파우치 利用 및 現地 通關 手續等 便宜 提供
    (實積 : 7個業體 430個 旣送付, 1.10.까지 6個業體 959個 追加 送付 豫定)
o 現地 就業者等 純粹 僑民에 대한 防毒面은 有關部處와 支援 方案 協議中

0108

(別添)

戰爭 危險地域 滯留僑民 現況

(91.1.6. 現在)

國 家 別	總 滯 留 者 數	公館員, 商社, 建設業體 勤勞者	純 粹 僑 民 (現地就業者等)
사 우 디 (젯다 總領事館 管轄 中西部 以南地域除外)	3,750	2,383 (公館員 113, 業體 2,270)	1,367
이 라 크	125 (쿠웨이트 僑民 9명 包含)	116 (公館員 9, 業體 107)	9 (쿠웨이트 殘留 僑民 9명 包含)
요 르 단	89	12 (公館員 12, 業體 0)	77
바 례 인	335	278 (公館員 14, 業體 264)	57
카 타 르	77	19 (公館員 13, 業體 6)	58
U. A. E.	650	329 (公館員 19, 業體 310)	321
總 6個地域	5,026	3,137	1,889

0109

의 十 중근동과장님 (3매)

보도자료

제 3차 『페르시아』만 사태관련 특별위원회 개최

- 정부는 1991. 1. 7(月) 오전 9시 삼청동 회의실에서 제 3차 『페』만 특위를
  개최하여 『페』만 사태관련 정부의 대책을 논의하였다.

- UN 안보리에서 결정한 이라크 군 철수시한인 1991년 1월 15일이 다가움에 따라
  『페』만의 상황이 급박해 지고 있으며 사태가 어떤 방향으로 전개될지 아무도
  예측할 수 없는 형편이나, 정부로서는 어떠한 경우에도 우리경제에 미치는
  영향을 최소화할 수 있도록 만반의 대비책을 강구하여야 하므로 현시점에서
  전쟁발발을 전제로 대책을 세울 필요가 있다고 판단하였다.

- 다행히 1월 9일 미·이라크 외상회담을 계기로 협상이 타결되어 사태가 평화적
  으로 해결될 경우에는 국제유가도 안정을 되찾고 이에 따라 세계경제와 우리
  경제에 긍정적인 영향을 가져올 것으로 예상되나,

- 전쟁이 발발할 경우에는 직접적인 인명피해는 물론이고 전세계 경제가
  크나큰 충격을 받을 것으로 예상된다.

  즉, 중동지역 유전의 상당부분이 파괴되거나 생산이 중단됨에 따라
  국제석유시장에 혼란이 야기되어 국제유가는 크게 치솟을 것으로 예상되어
  (세계은행은 전쟁이 발발할 경우 단기적으로 국제유가는 60~70 $/B이 될
  것이라고 예측한 바 있으며 최소한 40~50 $/B 수준 이상으로 인상될것으로 보는
  견해가 유력) 세계경제의 위축을 가속시키고 에너지의 수입의존도가 높고
  수출에 크게 의존하는 우리경제에 더욱 심각한 타격을 초래할 것으로 판단된다.

- 그밖에도 유전시설의 폭발·화재로 인하여 대기오염과 지구온실효과를
  가중시키고 기상이변을 초래하는 한편, 세계적인 군사력 균형에 변화를
  가져오는 등 다방면에서 엄청난 충격과 변화가 예측된다.

0110

- 제 3차 특위에서는 『페』만에서 전쟁이 발발할 경우에 대비하여 관련부처별로
  비상대책(안)을 수립·보고하고 이에 대해 토의하였다.

- 동회의에서는 최근의 『페』만 정세를 분석·보고(외무부)받고 전쟁발발의
  가능성이 있다는 전제하에 이라크 116명·쿠웨이트 9명의 현지 체류민에 대한
  안전대책과 사우디등 주변 5개국 체류자 4,901명에 대한 안전대책을 논의하였다.

- 또한 『페』만 전쟁이 발발하는 경우 사우디를 비롯 그 주변국가인
  카타르, 중립지대 등 산유국으로 부터 원유수출이 전면 중단될 것에
  대비하여 이에 따른 우리나라 원유도입차질과 특히 월동기 국내석유수급에
  미치는 영향을 분석(동자부)하는 한편,

- 국내석유수급의 안정을 위하여 전쟁지역 이외의 산유국으로부터의 원유추가
  확보를 위한 자원 외교강화 방안과 필요시 정부가 보유하고 있는 석유비축유
  활용방안을 검토하고, 특히 전쟁발발시 국제원유가격이 폭등하는 초고유가의
  비상국면에 대비하여 적극적인 범국민적 에너지소비절약을 효과적으로 실시할
  수 있는 구체적인 대책을 마련하여 시행키로 하였다.

- 그리고 이라크, 쿠웨이트, 사우디 등 전쟁위험지역에 있어서의 건설공사
  현황 및 근로자 철수현황을 보고(건설부)받고 전쟁발발시에 대비하여 이라크
  지역은 잔류근로자를 전원 철수시키고 사우디 등 주변 위험지역은 현장별로
  최소 필수요원만 잔류시키는 등 해외건설요원 철수 및 사태해결 후 공사재개에
  대비한 현장보전 대책등을 논의하였다.

- 또한 전쟁위험지역의 유전이 폭파될 경우 지구환경 및 기상 그리고 국내
  대기에 미치는 영향을 분석(환경처)하고 이에 대처하기 위한 계절별
  저유황유류 수급대책등을 논의하였다.

- 정부는 앞으로 1월 9일의 미·이라크 외상회담결과 등 사태의 추이를 예의
  주시하면서 금일의 회의결과를 토대로 관계기관간 협의를 거쳐 1월 11일까지
  최종대책을 확정하기로 하였다.

0111

$\boxed{\text{참고}}$

"페르시아"만 사태관련 특별위원회 개요

1. 설치 배경

- '90. 8. 2   "페르시아"만 사태가 발발함에 따라 정부는 신속하고 다각적인 대책을 강구하여 왔는 바, 8. 25의 『페』만 사태 관련 관계장관회의 결정에 따라 『페』만 사태가 진정·해결될때 까지 사태진전상황에 따라 범부처적으로 신속·적절하게 대응하고 관계부처간 유기적인 협조체제를 구축함으로써 국민경제에 대한 충격을 최소화하기 위하여 관계국무위원으로 구성된 별도의 기구를 설치하게 된 것임

2. 구 성

- 위원장 : 부총리
- 위   원 : 외무, 재무, 상공, 동자, 건설부장관, 경제수석비서관

3. 주요기능

- 사태추이의 점검 (관련정보의 종합분석)
- 사태진전에 따른 국민경제적 영향분석
- 교민안전, 석유수급안정, 에너지절약 등 주요 과제별 장단기 대응책 강구

4. 제 1, 2차 회의결과 요약

- 제 1차 회의 : '90. 9. 8   10:00   정부 제 2청사 부총리실
  ○ 동향점검, 석유수급안정 및 에너지절약대책, 해외건설공사관리대책 논의
  ○ 고유가시대에 대응한 중장기 에너지정책 및 산업정책을 수립키로 합의

- 제 2차회의 : '90. 10.17   15:00   정부 제 2청사 부총리실
  ○ 『페』만 경비분담금 집행계획, 석유수급안정대책, 국내외 건설대책 논의
  ○ 고유가시대에 대응한 산업구조개편방향(상공부 시안) 검토

0112

걸프地域 戰爭 勃發 對備

特別機 運航 僑民 撤收 對策 (案)

(1991. 1. 9.)

1. 狀況
2. 基本 方針
3. 特別機 搭乘 對象 豫定人員
4. 特別機 運航 方案
5. 所要 豫算
6. 當面 措置事項
7. 留意事項

外 務 部
中東아프리카局

0113

1. 狀況

가. 美.이락 外務長官의 1.9. 제네바 會談이 豫想대로 이렇다할 成果를
거두지 못한채 끝나고 유엔이 정한 1.15. 時限이 수일앞으로 다가옴에
따라 걸프地域에는 어느때보다도 戰爭의 危險이 커지고 있는 가운데
西方國을 包含한 大部分의 나라들은 이락, 요르단, 이스라엘은 물론
其他 戰爭의 被害가 豫想되는 周邊國들로 부터 自國 大使館을 閉鎖하기
위한 措置를 취하는 한편 自國民에 대해 撤收를 命令 또는 積極 勸奬
하고 있는 實情임.

나. 이러한 狀況아래 이地域에서 나오는 航空便은 이미 1.15. 以後까지
豫約이 完全히 끝난 狀況이며, 많은 航空社는 이地域 運航을 中斷하고
있으므로 이地域 我國 僑民의 迅速한 待避를 위해 KAL 特別機 運航
必要性이 擡頭됨.

2. 基本 方針

가. 90.8月 下旬 이락.쿠웨이트 僑民 撤收時 特別機를 運航할때와 原則的으로
같은 方式으로 推進(當時 延 5回 運航)

나. 關聯部處와 緊密한 協調

다. 進出業體別 自體 撤收計劃과 連繫 推進

라. 事態 推移에 따라 運航時期, 機種, 回數等은 伸縮性있게 運營

마. 搭乘 集結地를 選定, 投入

바. 經費는 事後 精算

3. 特別機 搭乘 對象 豫定 人員 : 約 6,300名 (內譯은 別添 參照)

가. 第1次 撤收 對象者 : 2,600여명
  1) 公館員 家族 約 100名 (6個 公館)
  2) 純粹僑民(自進撤收 志願者)

0114

나. 第2次 撤收 對象者 : 3,600여명

    1) 進出業體 所屬 職員

    2) 進出業體와 協議, 搭乘 對象人員 選定

다. 第3次 撤收 對象者 (最終)

    1) 걸프地域 駐在 公館員 約 100名

4. 特別機 運航 方案

가. 運航 時期

    1) 第1段階

        가) 1.13-15 期間(이락, 요르단等 最 危險地域으로 부터 始作)

        나) 第1次 撤收 對象者 輸送

    2) 第2段階

        가) 1.15. 以後, 事態 推移 감안 段階的 運航

        나) 第2次, 第3次 撤收 對象者 輸送

나. 投入 場所 (集結地)

    1) 我國 公館 所在地 : 바그다드(이락), 암만(요르단), 미나마(바레인), 다란.리야드.젯다(사우디), 도하(카타르), 아부다비(UAE), 테헤란(이란)

    2) 搭乘 豫定者는 我國 公館 所在地에 集結, 公館員 引率下에 搭乘

    3) 現地 進出業體 所屬 職員은 支社長 責任 아래 集結

다. 特別機 機種(KAL 特別 전세기)

    1) B747 (400名 收容) 3대 3回 運航

    2) DC-10 (250名 收容) 3대 3回 運航

    3) 서울-트리폴리間 KAL 定期 航空便의 運航 스케쥴 變更 特別 運航

라. 運航 經路

    1) 最 危險地域 : 서울 → 바그다드 → 암만 → 서울

    2) 次 危險 周邊地域 : 서울 → 마나마 → 사우디 3個 集結地 → 서울

    3) 其他 周邊地域 : 서울 → 사우디 → 도하 → 아부다비 → 테헤란 → 서울

    4) 리비아 취항기 迂廻 運航 : 狀況에 따라 決定

5) 備 考 : 運航回數, 經路等은 狀況 展開에 따라 融通性있게
            KAL側과 協議 實施

5. 所要豫算 : 約 $ 270 萬弗 推定(純粹 航空賃만 計算)

가. 算出內譯 : 航空賃 $1,000×2,700餘名(公館員 및 家族, 業體所屬
            없는 個別 就業者 및 純粹僑民等)

나. 支出 項目 : 豫備費 申請

다. 航空賃 精算 :
    1) 航空賃은 後排로 하고 KAL側에 事後 精算
    2) 公館員 및 家族, 個別就業者 및 純粹僑民等 : 政府 負擔
    3) 業體所屬 3,600여명의 航空賃은 業體 負擔

6. 當面 措置 事項

가. 實務協議를 위한 關聯部處 會議 召集
    - 經企院, 安企部, 外務, 交通, 建設, 勞動部, KAL等
       (中東阿局長 主宰 關聯部處 課長級 參席)

나. KAL 特別機 搭乘 對象者 把握(단계적 탑승별) :
    - 現地 公館에 指示 및 進出業體 本社 幹部 召集, 協議

다. 걸프地域 駐在 公館員 家族 全員 撤收(1.13-15) 訓令 下達
    - 公館別 必須要員을 公館長 判斷으로 選定 指示(有事時 必須要員外
       人員 撤收는 事後 檢討)

라. KAL기 空港 離.着陸 許可 獲得 위한 駐在國 當局과의 事前 交涉

마. KAL 特別機 投入 所要豫算 確保 措置 : 經企院과 協議, 豫備費 申請

0116

7. 留意事項

가. 本 計劃의 具體的 履行에는 다음과 같은 問題點이 豫想되나 最大限
   人員이 撤收 되도록 積極 努力할 것임.

   1) 所屬이 없는 純粹僑民은 撤收 勸告(特別機 搭乘 勸誘)에도 不拘,
      撤收를 원하지 않는 사람이 相當數 있을 可能性 있음.

   2) 戰爭 勃發 前까지는 大多數 進出業體가 勤勞者 撤收에 消極的
      態度를 보이고 事態 推移를 觀望할 可能性 있음.

   3) 戰爭이 勃發한 後에는 空港 閉鎖로 特別機의 空港 離.着陸이
      不可能할 수 있음.

나. 戰爭 勃發後 殘留僑民 撤收 不可 狀況에서는 아래와 같이 對處하는
   것이 좋겠음.

   1) 可能한 多數가 한 場所에 集結, 自衛力 强化

   2) 必要時 美國等 友邦國 輸送手段 利用토록 協調 要請(船舶便 包含)

   3) 陸路, 海路等을 利用, 隣接國에 待避 協調

添 附 : 1) 戰爭 危險地域 滯留 僑民 現況
       2) 걸프 地域 地圖

0117

戰爭 危險地域 殘留僑民 現況

(91.1.7. 現在)

國 家 別	總 滯 留 者 數	公館員, 商社, 建設業體 勤勞者	純 粹 僑 民 (現地就業者等)
사 우 디	4,980 (사우디大使館管轄: 3,622 (젯다總領事館 管轄 : 1,358)	3,070 (公館員 147, 業體 2,923)	1,910
이 라 크	125 (쿠웨이트 僑民 9명 包含)	116 (公館員 9, 業體 107)	9 (쿠웨이트 殘留 僑民 9명 包含)
요 르 단	66	21 (公館員 12, 業體 9)	45
바 레 인	335	278 (公館員 14, 業體 264)	57
카 타 르	77	19 (公館員 13, 業體 6)	58
U. A. E.	650	329 (公館員 19, 業體 310)	321
總 6個地域	6,233	3,833	2,400

0118

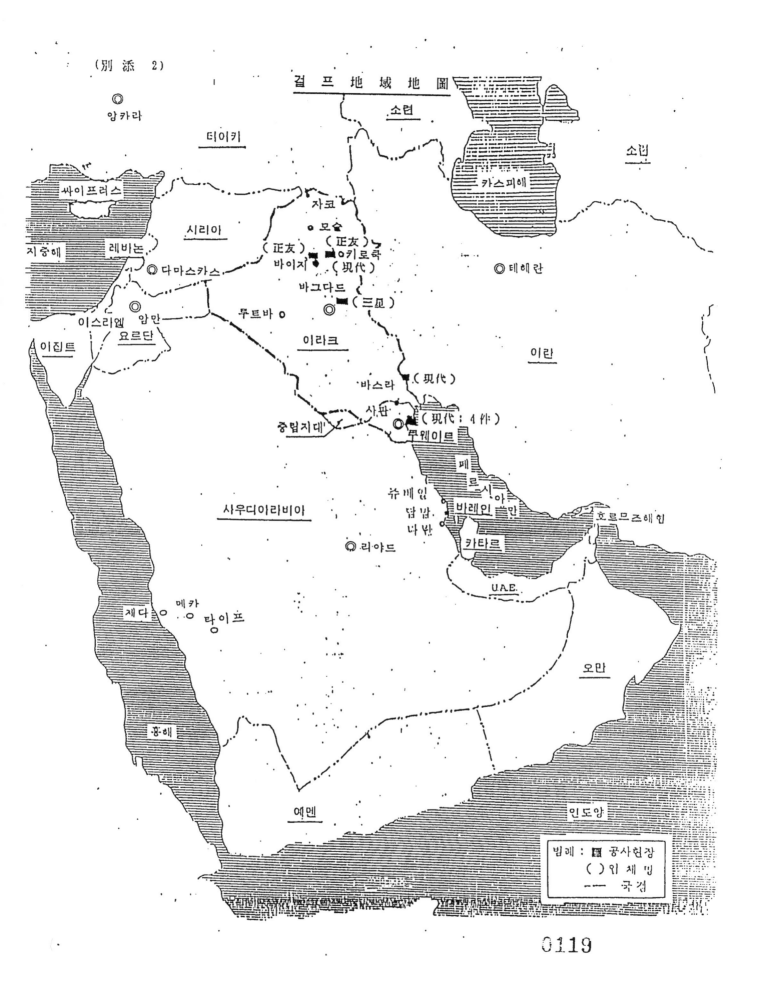

(別添 2)

걸프地域地圖

○ 암카라

티이키

싸이프러스

시리아

소련

카스피에

소련

지중해
레바논
○ 다마스카스

자코
■ 모술
(正友)　(正友)
(正友)　●키로쿡
바이지●　(現代)

바그다드
�「◎」（三互）

테헤란 ◎

이스리엘
암만
요르단

무트바 ○

이라크

이란

이집트

바스라
(現代)
사판
중립지대
쿠웨이트
■ (現代 : 4件)

사우디아라비아

슈배인
담밤
나변

페르시아
바레인 만
카타르

호르므즈해힐

◎ 리야드

U.A.E.

제다 ○
메카
○ 타이프

오만

홍해

예멘

인도양

범례 : ■ 공사현장
( ) 인체명
――― 국경

0119

長 官 報 告 事 項

報 告 畢

1991. 1.10.
中近東課

題 目 : 제네바 會談 決裂과 걸프事態 展望

○ 美.이락 外務長官間의 1.9. 제네바 會談은 6時間 半에 걸쳐 열리는 중에
各其 本國과의 協議를 위해 두차례나 休會를 함으로써 어느정도 進展이
있을 것으로 期待 되었으나, 結果的으로는 決裂된 것으로 判明 되었는바,

○ 會談後 兩國 外務長官의 記者會見과 關聯 各國의 反應을 綜合하여 볼때
今後 展望은 아래와 같습니다.

---

1. 平和的 解決 可能性

　가. 베이커 長官은 記者 會見에서 兩國間의 再協商 可能性이 없음을 示唆하고
부쉬 大統領도 이점을 確認 하였으나 平和的 解決에 대한 期待를 完全히
抛棄하지는 않았다고 함으로써 關聯諸國의 平和 努力에 期待를 表示하였음.

　나. 西方의 仲裁 努力으로 가장 눈에 띄는것은 미테랑 佛蘭西 大統領의 노력인바,
佛蘭西는 일단 美國의 立場과 努力을 支持하는 EC 諸國과 同一한 步調를
취하면서도 中東問題의 包括的 解決을 위한 國際會議에 대해 同情的인 立場을
示唆하면서 中東平和會議를 積極 推進해온 알제리등 今番 事態에 비교적
中立的인 아랍國家들과 함께 積極的인 仲裁 意思를 表明하고 나서고 있음.
實際로 제네바 會談이 決裂된 直後 미테랑 大統領은 記者會見에서 이러한
仲裁 立場을 分明히 하고 會見 直前 부쉬 大統領과도 通話 했다고 밝힘으로써
美國도 佛蘭西의 仲裁를 諒解 했음을 示唆함. 다만 미테랑 大統領은 이락이
1.15.전 撤軍하지 않으면 佛蘭西도 대이락 武力行事에 參與하게 될 것이라고
함으로써 이락의 伸縮性 있는 協商 姿勢를 公開的으로 促求한 것으로 볼수
있겠음.

0120

다. 佛蘭西 以外에 蘇聯도 바그다드에 特使를 派遣 고르바쵸프의 親書를 전하겠다고 하였으며 外信의 報道 傾向을 綜合 判斷하면 이에 대해 큰 期待를 거는 것 같지는 않음

라. 한편 케야르 유엔 事務總長도 今明間 바그다드를 訪問할 것이라고 하는바 會談 決裂後 부쉬 大統領이 發表한 것으로 보아 수일전 부쉬가 케야르를 休養地에 招待했던 事實로 보아 이것은 美側의 이니시어티브에 의한것이 分明하며 따라서 이락이 이에 呼應하리라고 期待하기는 어렵다고 보겠음. 美國이 이것을 알면서도 推進하는 것은 開戰이 不可避할때 美國으로서 最大限의 外交努力을 傾注했다는 것을 對內外에 誇示하기 위한 것으로 봄.

2. 戰爭 勃發 可能性

가. 따라서 現在 마지막 期待는 결국 佛蘭西와 中道 아랍國을 代表하는 알제리의 共同 努力인바 이것도 일단은 1.15. 까지의 時限的인 努力으로 보아야 하며, 그렇기 때문에 美國이 이를 諒解한 것으로 추측됨.

나. 미국은 제네바 會談 決裂 直後 징발권에 관한 명령을 내림으로써(내용은 확실치 않음) 開戰이 한발짝 다가왔다는 印象을 강하게 주었으나 이는 실제로 戰爭 遂行을 위한 準備와 同時에 이락에 대한 美國의 決意를 재과시 하고 미테랑등의 仲裁 努力을 支援코자 하는 의도도 있는 것으로 보임.

다. 일단, 會談 決裂로 戰爭 可能性은 높아졌다고도 볼수 있으나 불란서가 아랍권에 歷史的으로 오랜 緣故를 가지고 있고 그중에서도 특히 깊은 관계를 가지고 있는 알제리가 마침 今番 事態에 中道的 立場을 취함으로써 仲裁에 유리한 위치에 있어 兩國이 共同으로 努力한다면 어느정도 成果가 있을 수 있겠다는 期待를 가질수도 있겠음. 끝.

0121

공   란

공   란

공   란

걸만사태 관련 안보리 결의

결의안 표결일자	결의주요내용	투표결과 (찬:반:기권)	결의번호
90.8.2.	○ 이락의 루웨이트 침공 규탄 및 이락군의 무조건 철수 촉구	14:0:0	660 (1990)
8.6.	○ 이락에 대한 광범위한 경제제재 조치 결정 - 안보이사회내에 제재위원회 설치 - 유엔비회원국 포함 모든국가의 661호 이행 촉구	13:0:2 (쿠바,예멘)	661
8.9.	○ 이락의 루웨이트 합병 무효 간주 ○ 루웨이트 신정부 승인 금지	15:0:0	662
8.18.	○ 이락,루웨이트내 제3국민들의 즉각 출국허용 요구 ○ 외국 공관폐쇄 철회 요구	15:0:0	664
8.25.	○ 결의 661호 위반 선박에 대한 조치 권한 부여	13:0:2 (쿠바,예멘)	665
9.13.	○ 인도적 목적의 대이락 식품 수출 제한적 승인	13:0:2 (쿠바,예멘)	666
9.16.	○ 루웨이트주재 외국공관 침입 비난 ○ 외국공관원 즉시 석방 및 보호 요구	15:0:0	667
9.24.	○ 대이락 제재조치에 따른 피해국 지원	15:0:0	669
9.25.	○ 모든국가의 이락 및 루웨이트내 공항 이착륙 및 영공통과 불허 (인도적 식품 및 의약품운송 제외) ○ 모든국가에 의한 이락 국적선박 억류 허용	14:1:0 (쿠바)	670
10.29.	○ 이락의 루웨이트 침공으로 인한 전쟁피해 및 재정적 손실에 대한 이락의 책임 규정 및 추궁	13:0:2 (쿠바,예멘)	674
11.28.	○ 이락에 의한 루웨이트국민의 국적 말소기도 비난 ○ 루웨이트 인구센서스 기록의 유엔내 보존	15:0:0	677
11.29.	○ 이락이 91.1.15한 상기 안보리 제결의를 이행치 않을 경우, 유엔 회원국에게 필요한 모든조치를 취할 수 있도록 허용	12:2:1 (쿠바,예멘) (중국)	678

0125

페湾 事態 報告

(1 9 9 1 . 1 . 1 1)

I. 페湾 事態 對策班 運營

II. 僑民 撤收 및 安全對策

外 務 部

I. 폐灣 事態 対策班 運営

1. 폐灣 事態 非常 對策班

- 90.8.2 事態 發生 直後 構成
- 班長: 外務部 本部 大使
- 主 任務는 이라크 및 쿠웨이트 滯留 僑民 緊急 撤收
- 그후 外務部 第1次官補로 班長 交替

2. 外務部 自體 對策班 別途 運營

- 中東아프리카局 中心 24時間 非常 勤務中

II. 僑民 撤收 및 安全対策

1. 僑民 現況

- 이라크 96名(大使館 6, 建設業體 90)
- 쿠웨이트 9名(個人事業上 殘留 希望者)
- 周邊 危險地域 約 6,100名
  . 사우디, 요르단, 바레인, 카타르, UAE(5個國)
  . 大使館 및 業體 約 3,700名, 現地
    就業者等 純粋僑民 約 2,400名

0127

2. 撤收 推進 現況

- 이라크 및 쿠웨이트
  . 8.2 現在 約 1,300名中 1,200名 撤收 完了
  . 建設業體 職員: 1.15한 全員 撤收 指示 (90.12.27)
  . 大使館員: 1.9한 必須要員 除外 職員 및 家族 撤收 指示(91.1.4)
  . 必須要員 5名(大使, 派遣官, 外信官, 韓國人 雇傭員 2名) 1.14 撤收 前提로 準備하되 他國 公館 撤收動向 및 現地 情勢 判斷 綜合 하여 大使가 決定, 第3國으로 臨時 待避토록 指示(91.1.7)

  - 周邊 危險地域
    . 滯留僑民: 自進 撤收 勸誘토록 該當 公館에 指示(90.12.27)
    . 大使館員: 事態 推移 觀望하여 決定키로 함

3. 今後 撤收 對策

- 90.8月 이라크. 쿠웨이트 僑民 撤收時 KAL 特別機 運航과 原則的으로 같은 方式의 特別機 運航(GCC 公館長 會議 建議)

0128

- 事態 推移에 따라 運航時期, 機種, 回數, 經路等은
  伸縮性있게 運營

- 細部事項은 폐灣事態 對策班 및 實務 會議에서
  協議토록 함

4. 防毒面 支給

  - 公館員 및 家族
    . 防毒面等 化學戰 裝備 約 200人分 支援
      (90.11月)
    . 使用法 示範敎育 實施(90.12月 關係官
      2名 現地 派遣)
  - 進出業體 職員
    . 業體別로 約 1,600個 購入, 支援
    . 外務部 행랑便 送付(90.8月-現在)
  - 純粹僑民
    . 約 2,000個 政府 豫算으로 購入, 支援
      推進
    . 物量은 確保, 豫備費 措置中

5. 戰爭 危險地域 旅行 制限

  - 外務部 海外旅行 安全對策班은 이라크, 사우디等
    11個 戰爭 危險地域에 대한 我國人 旅行
    自制 勸告
  - 旅行 不可避時는 公館에 申告 및 連絡 維持
    當付

0129

III. 医療支援団 派遣 協商団 사우디 派遣

1. 期間: 1990.12.29-1.4間

2. 構成: 青瓦台, 經企院, 安企部, 外務部, 國防部 實務者
        11名(團長- 外務部 中東아프리카局長)

3. 協議 內容

    - 사우디側 立場: 醫療陣 絶對 不足으로 積極
                      歡迎
    - 派遣時期: 可及的 早期 派遣 希望(我側 國會
                    同意 節次를 說明함)
    - 構成: 可及的 多數의 醫療要員 希望
    - 醫療裝備, 普及, 支援: 原則的으로 사우디 提供
    - 配置地域: 사우디 東部地域 考慮中
    - 地位 協定 締結
      . 政府間 基本協定(12個條) 및 國防部間
        約定(10個條) 草案 我側에 提示
      . 外交公館 行政要員에 준하는 特權 免除 附與

                                            - 끝 -

0130

Ⅰ. 灣 事態 対策班 運營

  1. 灣 事態 非常 對策班

    - 90.8.2 事態 發生 直後 構成
    - 班長: 外務部 本部 大使
    - 主 任務는 이라크 및 쿠웨이트 滯留 僑民 緊急
      撤收
    - 그후 外務部 第1次官補로 班長 交替

  2. 外務部 自體 對策班 別途 運營

    - 中東아프리카局 中心 24時間 非常 勤務中

Ⅱ. 僑民 撤收 및 安全対策

  1. 僑民 現況

    - 이라크 96名(大使館 6, 建設業體 90)
    - 쿠웨이트 9名(個人事業上 殘留 希望者)
    - 周邊 危險地域 約 6,100名
      . 사우디, 요르단, 바레인, 카타르, UAE(5個國)
      . 大使館 및 業體 約 3,700名, 現地
        就業者等 純粹僑民 約 2,400名

0131

III. 医療支援団 派遣 協商団 사우디 派遣

1. 期間: 1990.12.29-1.4間

2. 構成: 靑瓦台, 經企院, 安企部, 外務部, 國防部 實務者
   11名(團長-外務部 中東아프리카局長)

3. 協議 內容

   - 사우디側 立場: 醫療陣 絶對 不足으로 積極
     歡迎
   - 派遣時期: 可及的 早期 派遣 希望(我側 國會
     同意 節次를 說明함)
   - 構成: 可及的 多數의 醫療要員 希望
   - 醫療裝備, 普及, 支援: 原則的으로 사우디 提供
   - 配置地域: 사우디 東部地域 考慮中
   - 地位 協定 締結
     . 政府間 基本協定(12個條) 및 國防部間
       約定(10個條) 草案 我側에 提示
     . 外交公舘 行政要員에 준하는 特權 免除 附與

   - 끝 -

0132

발 신 전 보

번 호 : WUS-0107   910111 2342 DP1   종별 :

수 신 : 주 수신처 참조   /대사///총영사/   WJA-0139   WUK-0073
                                              WGE-0050   WSV-0095
발 신 : 장 관   (중근동)   WFR-0050   WIT-0064
                                              WUN-0055   WMEM-0004

제 목 : 페만사태 비상대책

1. 금 1.11. 대통령 주재하의 페만사태 특별 대책회의 결과에 따라
정부는 제2차관보를 본부장으로 하는 페만사태 비상 대책본부를 가동하고 본부도
중동아국을 중심으로 24시간 비상근무 태세에 돌입 하였는바 귀관도 비상근무에
임하기 바람.   특히 본부의 훈령에 즉각 대응할수 있는 체재를 갖추고 사태
관련하여 정책 수립 수행에 참고가 될수 있는 외교, 군사, 경제등 분야의 정보
수집 및 분석을 수시 보고 바람.

2. 금일 외신은 사담후세인 대통령이 1.16-17일경 철군할 가능성을
보도하고 이락 공보성은 이를 부인했다고 하는바 이에 대한 관련 정보도 파악
보고 바람.

3. 한편 미국은 주이락 대사관 잔류직원을 1.12. 특별기편으로 전원
철수시킬 예정이고 많은 서방국가들도 역시 1.12. 전후 같은 조치를 취할 것이라
하는바 참고 바라며 아국도 주이락 대사 이하 전 공관원 철수 예정을 2-3일
앞당겨 1.12-13일경 철수시킬 예정임.   끝.

(의 명   중동아국장)

수신처 : 미국, 일본, 영국, 독일, 소련, 불란서, 이태리, 유엔, 전 중동지역
          공관장

공보관 (1991. 6. 30)

앙 고 재	91년 1월 11일 중근동과	기안자 성명		과 장	심의관	국 장	차 관	장 관

보 안
통 제

외신과통제

0133

美 議会 灣事態 武力 使用 承認

1991. 1.

外　務　部

0134

美 上. 下 兩院은 1.12(土) 페灣事態 關聯
行政府의 武力使用을 承認하는 上.下 兩院 合同
決議案을 上院 52:47, 下院 250:183으로
通過시켰읍니다. 한편, 民主黨側이 提案한 現
對이라크 經濟制裁 措置 및 外交的 努力을 繼續할
것을 促求하는 決議案은 上.下院에서 共히 否決
되었는 바, 關聯事項 아래 報告드립니다.

武力使用承認 決議 要旨

* 提案 議員

. 上院 : 도울(共和, 캔자스) - 워너(共和, 버지니아)

. 下院 : 솔라즈(民主, 뉴욕) - 마이클(共和, 일리노이)

ㅇ 페灣事態 關聯, 武力使用을 許容한 유엔 安保理
決議 第678號에 依據, 美 軍事力을 使用하는
權限을 大統領에게 附與함

- 금번 決議案 通過에 따라 大統領은 戰爭 授權
法上의 權限을 附與 받은 것으로 간주

- 大統領은 軍事力 使用前 外交的 手段을 포함한
모든 平和的 努力에도 不拘, 이라크측이 유엔
安保理 決議를 遵守토록 하는데 失敗하였음을
下院 議長 및 上院 臨時 議長에게 通報 必要

0135

o 大統領은 60日 마다 最小 1回以上 이라크의
   유엔 安保理 決議 履行을 위해 취한 措置를 議會에
   報告해야함

今後 節次

o 同 合同 決議는 大統領의 署名을 위해 즉시 行政府에
   移送될 豫定이며 부쉬 大統領은 同 決議에 즉시
   署名할 것으로 豫想됨

   - 同 決議는 署名과 동시 法律과 동일한 效力 發生

評価 및 展望

o 금번 表決 結果는 부쉬 大統領에 대한 信任 投票의
   性格을 가진 것으로서 부쉬 大統領의 페灣政策에 대한
   議會의 超黨的인 支持를 明確히 하는 重要한 轉換点을
   마련함

   - 부쉬 行政府의 페灣事態 政策에 대한 美國民의
     支持度를 反映

o 부쉬 大統領은 금번 決議 通過로 武力使用에 대한
   國內 政治的인 障碍를 除去함으로써 對이라크 軍事
   攻擊을 포함한 페灣事態 解決을 위한 政策을 보다
   强力히 推進할 수 있게됨

0136

ㅇ 向後 폐灣事態 關聯 友邦國에 대한 分擔金 追加 支援
  및 兵力 派遣 要請이 增加될 展望임

  - 決議案 贊反 討議時 日本 및 獨逸의 微溫的
    支援 態度를 批判하는 議員 多數(韓國에 대해
    言及한 議員은 없었음)

参考事項

ㅇ 금번 武力使用承認 決議는 1964年 존슨大統領이
  要請한 통킹灣 決議 通過以來 첫번째임

ㅇ 上記 決議와는 별도로 下院은 議會의 戰爭 宣布權을
  再確認하는 決議案을 302:131로 通過시켰는
  바, 이는 法的 拘束力이 없는 勸告的 性格임

                                                끝.

0137

페만사태 비상대책본부 회의결과

1. 일시 및 장소 : 1991. 1. 12(토) 15:30-17:20

2. 회의주재 : 외무부 제2차관보 (본부장)

3. 참 석 자 : 명단별첨

4. 주요토의내용

가. 대책본부장 개회인사

　　1.11. 대통령 주재로 열린 관계 부처 장관회의에서의 페만 사태 관련 비상
　　대책 실무 본부 조직 지시에 따라 오늘 회의가 개최되게 됨.

　　현재 예측 불허의 위기 상태가 고조되고 있어 전쟁 발발을 전제로 대책을
　　수립해야 할 것으로 사료되며 전쟁이 발발할 경우 6,000여명의 교민 신변
　　안전, 건설 공사, 주변 해역 아국 선박, 테러 위험 등 아국 국가이익이 심각한
　　타격을 받을 것으로 예상되고 있어 예상 문제점을 실무적으로 한가지씩 검토,
　　대책을 수립코자하니 충분한 의견 교환이 있기를 희망함.

　　우선 담당 국장인 외무부 이해순 중동아국장의 페만 사태 전반 현황 보고
　　청취후 각 항목별로 토의를 진행코자 함.

나. 걸프 정세 및 전망(이해순 중동아 국장 보고)

　　1.9 미.이락 제네바 외무장관 회담에서 양측은 종래 자기 입장만을 주장함
　　으로써 미.이락 양자간의 직접적인 평화 해결 노력은 불발로 끝남.

　　현재 케이아르 유엔 사무총장, 미테랑 불대통령, 소련, EC등 제3자에 의한
　　일말의 평화 해결 가능성이 남아있기는 하나 이는 미국의 양해하에 1.15까지의
　　시한적인 노력인바 여기에 큰 기대를 하기는 어려운 형편임.

0138

물론 이락이 마지막 순간에 일방적으로 부분 또는 완전 철수를 감행함으로써
새로운 사태 반전을 예상할 수도 있으나 1.15까지의 모든 노력이 실패하면
1.15이후에는 전쟁 발발이 언제라도 가능한 상황이 될 것으로 판단됨.
우리로서는 이러한 전제하에 만반의 준비를 갖춰야 할 것임.

다. 교민 철수 및 안전 대책

1) 교민 철수

　① 현 황

　　o 91.1.12 현재 사우디를 비롯한 걸프지역 6개국에 진출한 아국 교민은
　　　6,211명이며 이중 공관원 가족, 상사 직원 및 근로자가 3,811명이고
　　　개인 취업 또는 개인 사업자가 2400명임.

　　o 현재 이락에서 철수하여 암만에 도착한후 발이 묶여있는 88명과 사우디
　　　근로자중 583 명이 철수를 희망하고 있는 것으로 파악되고 있음.

　② 문제점

　　o 각건설회사 발주처와의 문제 때문에 정확한 철수 희망 근로자 파악
　　　어려움(노동부)

　　　- 현재까지 사우디 동부지역 체류 근로자 731, 간호원 107, 개별 취업자
　　　　286중 583명이 철수 희망 의사 표명

　　　- ARAMCO 의관리를 받고 있는 사우디 동부지역 근로자의 젯다 철수가
　　　　발주처의 반대로 불가능해지자 자체 방위 수단으로 미사일 공격을
　　　　대피키 위해 방공호를 파고 있는 상황임

　　o 발주처의 출국 동의서 및 Visa 획득 문제

　　o 집결 장소 압축(리야드, 암만, 아부다비 등)

　　　- 집결지 공항 지상 조업 가능성 여부 파악(리야드 공항)

　　o 경유지의 영공 통과, 이착륙 허가 획득

　　o 특별기 파견에 따르는 예산

　　　- 특별기 1편당 100만불

　　　　· 항공 운입 34만불

0139

- 민간인 보험료 30만불
- 의료진 보험료 60만불
- 중동지역 5시간 이상 체재시 보험료 2배
- 보험료에 대한 정부 보증

o 항공일정 48시간 이전 확정
- 승무원 편성 문제
- 항공기 투입 스케줄 문제(1.14, 18, 21, 23, 25 B747 가능)
   * 젯다 왕복 소요시간 26시간 30분
     다란 왕복 소요시간 24시간
     리야드 왕복 소요시간 24시간 45분

o 전쟁 발발시, 공항 폐쇄 및 민간기 공역 진입 금지

o 선박 이용 철수 가능성
- 주변 해역 정박중인 아국 선박은 곤란(LPG 선 승객 탑승 부적절)
- 사우디 동부지역 근로자 아카바항 통해서 홍해로 철수 가능성

③ 대 책
o 1.14 대한 항공 특별기 투입 결정
- 공관 직원 가족 및 희망 근로자 철수
- 의료진 조사단 탑승 파견
- 방독면 2,000개 수송

o 집결지, 리야드 및 암만으로 결정

o 해당지역 공관 사전 필요 조치
- 특별기 영공 통과, 이착륙 허가
- 탑승자 파악
- 특별기 운항 일정 확정

   1.14(월) 12:00   출발 (B747)
           19:40   리야드 도착
           21:10   리야드 출발
           23:30   암만 도착

0140

```
             24:50      암만 출발

    1.15(화)   21:30      서울 도착
```

- 향후 특별기 항로 계획 수립

    서울-방콕-다란-방콕(이후 정기 항로 이용 귀국)

2) 안전대책

    ① 방독면지원 : º 90.11. 6개공관 직원, 가족용 201개 지급

                       º 진출업체직원, 업체별로 1,600개 외교행랑편 송부

                       º 각업체는 사우디동부, 이라크지역, 기지급 724개

                         1.15.이전에 전량 지급토록함.

                         1.14.12:00 2,000개 확보 송부가능

    ② 문   제 : º 생산공장과 물물교환 사후 조치 보증 필요

                       º 전방부대에 지급된 물량을 수거 이동시켜야 되기

                        때문에 시간이 소요

    ③ 대   책 : º 특별기편에 송부(1.14. 대한항공 특별기편)

                       º 국방부가 1.14(월) 10:00 이전 김포 대한항공 화물

                        보관 창고에 전달

라. 통신망 구성 문제

    유사시 대비, 비상 통신망을 2중, 3중으로 편성, 본부와 재외공관과의 연락

    체계유지를 위한 대책을 수립

마. 의료지원단 파견문제

    26명의 의료지원 조사단을 1.14 출발하는 특별기편에 파견함으로써 프랑크

    푸르트 미군 군용기 사용계획은 취소하고 미측에 통보키로 함.

    추후 파견시에는 군수송기를 사용할 예정이며 이 경우 외무부에서 해당국에

    영공 통과, 기착지 이착륙 허가 신청획득 협조 요망.

    의료지원 조사단의 사우디 입국 비자 미취득인바 도착시 공항에서 입국비자

    취득 조치가 필요함.

0141

바. 대 테러 문제

현재 아국의 의료단 파견이 발표되었는바 향후 아국의 페만 사태 개입도가
심화될 경우에는 아국인에 대한 테러 가능성이 높아질것으로 생각함.

동 테러 가능성을 감안하여 현재 언론에 보도되고 있는 아국의 군사 개입
문제는 신중히 취급되어야 하며 언론에 보도된 아국의 파병 계획이 사실
무근임을 전재외공관을 통해 홍보하고(미주국 조치) 국내언론기관을 통해서도
파병 계획이 오보임을 재홍보함.(국방부)

1.12. 미국대사관측과 향후 대테러 정보의 긴밀한 교환 협조 체계를 유지키로
합의하였으며 이와 관련하여 엄격한 입국 심사가 실시되어야 할것으로 보이는
바 외무부에서 전재외공관을 통해 사증발급에 철저를 기하도록 지침을 내리기로
함.(중동아국)

사. 각부처 페만 대책반 운영

각부처별로 비상대책반을 조직하여 위치 및 전화번호를 외무부에 통보토록 함.

전쟁발발시에는 각부처에서 외무부 비상대책본부에 1명씩을 파견하여 외무부에
입수되는 정부가 즉각적으로 관계부처에 전파되는 유기적인 연락망을 구축키로함.

1.14(월)부터 외무부는 각부처들로부터 취합한 페만사태 관련 정보를 청와대
및 국무총리실에 매일 1-2회씩 보고함.

아. 주변해역 아국선박 보호

항만청과 긴밀히 협의하여 선박이동 사항을 수시점검 파악하여 주변해역 아국
선박 보호에 만전을 기하도록 함.

자. 원유의 안정적 공급

전쟁발발시 사우디, 카타르, 중립지대, UAE 등으로 부터의 원유도입은 즉각적
으로 중단될 것으로 보여 중동에 원유수입을 80% 의존하고 있는 현상태에서
원유도입 60% 가 차질을 빚을것으로 예상됨.

0142

납미제국으로 부터의 원유도입을 검토하고 있으나 성분상 문제가 있어 도입선 변경이 용이치 않은 형편이며 전쟁이 장기화될 경우 석유소비 절약, 배급제등 까지 검토하고 있음.

차. 건설미수금 및 손실액 회수문제

전쟁발발경우 막대한 손실이 있을 것으로 예상되는바 철수시 현장사진 촬영 보존, 적정서류구비, 발주처에 불가항력 상황 통보등으로 최대한의 형식적 절차를 취할 예정임.(특히 사우디 동부지역)

외무부에서도 동관련 상대국에 불가항력 상태 설명 협조하기로 함.

카. 대중동 교역

90.8.2. 이후 상사들이 선별적으로 수주를 해오고 있어 문제점을 최대한 방지 해오고 있으며 91.1.11부터는 선적을 중단한 상태로 있어 큰문제는 생기지 않을 것으로 예상하고 있으나 페만사태가 교착상태로 빠지면서 수출이 완전중단 되고 있어 무역수지에 큰 영향을 미치고 있음.

쿠웨이트 국영석유공사에 대한 유류 대금 4,400만불이 미지불 상태인바 이는 사태가 완전해결될 때까지 지불을 보류하기로함.

타. 페만사태 총리실 시각

민주화로 야기된 사회 무질서가 지자제 선거로 더욱 악화될 가능성이 있는 것으로 우려되는바 전쟁발발 경우 이를 국민안보의식을 강화하는 계기로 활용하는 방안을 검토중임.

페르시아만 전쟁발발을 이용한 대대적 홍보로 현재 우리 국민들의 들뜬 분위기를 가라앉히는 방안을 검토함.

0143

공   란

공   란

발 신 전 보

번 호 :	AM-0012	910114 1927 CG	종별 : 지급

< BL. MG. CZ 는
P 편 송부 요 >

PN.HA

수 신 : 주 전 재외공관장 대사. 총영사

발 신 : 장 관 (미북, 중근동, 영사)

제 목 : 페만 사태 관련 이라크측 테러에 대한 대처

연 : AM-10

1. 본부가 최근 입수한 정보에 의하면, 페만 사태가 무력 충돌로 확대시 개전후 24-48 시간내에 이라크와, 이라크에 동정적인 테러단체 및 동 사태를 이용하려는 여타 테러 단체들(Abu Nidal 그룹, Palestine Liberation Front등)에 의한 대규모 테러가 시작될 것이라 함.

2. 테러의 대상은 UN 결의에 호응한 모든 국가들이며, 동 테러리스트들은 활동 지역에 이미 배치가 완료되어 전쟁 발발과 동시에 별도 추가 훈령없이 공작을 개시할 것으로 예상된다 함.

3. 현재 본부는 관계 정보기관 및 군기관과의 협조 채널을 통해 정보교환 등 대비체제를 공고히하고 있는 바, 귀 주재국내 관련 동향과 정보 지득시 수시 보고 바라며, 귀 공관원 및 교민들에 대한 안전 대책을 수립하고 현지 미국 공관과도 협조 체제를 구축하기 바람.

4. 특히, 아국 입국 희망자의 사증 심사에 철저를 기하기 바람. 끝.

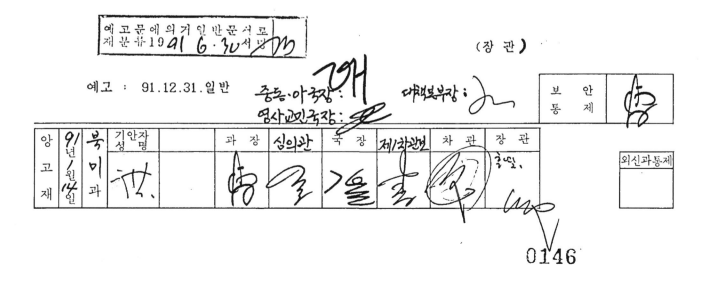

예고문에 의거 일반문서로
재분류 1991 6.30 서명

예고 : 91.12.31.일반

(장관)

중동·아국장 :
영사교민국장 :

대북보부장 :

보안 통제	

앙 고 재	91 년 1 월 14 일	북 미 과	기안자 성명		과 장	심의관	국 장	제1차관보	차 관	장 관		외신과통제

0146

기 안 용 지

분류기호 문서번호	미북 0160- 47	(전화 : 720-4648)		시 행 상 특별취급	
보존기간	영구. 준영구 10. 5. 3. 1.	차 관		장 관	
수 신 처 보존기간					
시행일자	1991.1.14.				
보 조 기 관	국 장	협 조 기 관	제1차관보	문 서 통 제	
	심의관		대책본부장		
	과 장		중동아국장		
기안책임자	홍석규		영사교민국장	발 송 인	
경수참	유신조	수신처 참조	발신명의		

제 목	페만사태 관련 이라크측 테러활동 대처

　　1.　당부가 최근 입수한 정보에 의하면, 페만사태가 무력 충돌로

확대시 개전후 24-48 시간내에 이라크 정부요원, 이라크에 동정적인 테러

단체 및 동 사태를 이용하려는 여타 테러 단체(Abu Nidal 그룹, Palestine

Liberation Front 등)에 의한 대규모 테러 활동이 개시될 것이라 합니다.

　　2.　동 테러의 대상은 UN 결의에 호응한 모든 국가들이며 동 테러

리스트들은 활동지역에 이미 배치가 완료되어 전쟁 발발과 동시에 추가 훈령

/계속/

0147

없이 공작을 개시할 것으로 예상됩니다.

　　　　3.　현재 당부는 전 재외공관장에 상기 정보를 타전하고 공관원 및

고민들에 대한 안전대책 수립 및 아국에 입국을 희망하는 주재국 인사들에

대한 사증 심사에 철저를 기하도록 지시한 바 있읍니다.

　　　　4.　상기를 참조, 귀부에서도 필요한 대책을 수립해 주시고 테러

활동의 사전 저지를 위한 정보 교환에 적극 협조해 주시기 바랍니다.

당부는 관련 추가 정보 지득시 즉시 추보 예정임을 첨언합니다.　　끝.

예 고 : 91.12.31. 일반

수신처 : 내무부 장관(치안본부장), 법무부 장관, 국방부 장관

일반문서로 재분류(19   .   .   .)

검 토 필 (19)

기 안 용 지

분류기호 문서번호	미북 0160- 54	(전화 : 720-4648)	시 행 상 특별취급	

		장 관

| 보존기간 | 영구. 준영구
10. 5. 3. 1. | |

>

수 신 처 보존기간	

시행일자	1991.1.14.

보 조 기 관	국 장	전 결	협 조 기 관		문 서 통 제	
	심의관					
	과 장					
기안책임자	문승현				발 송 인	

경 수 참	유 신 조	수신처 참조	발 신 명 의	

제 목	페만 사태 관련 이라크측 테러에 대한 대처

연 : AM-10

　　1. 본부가 최근 입수한 정보에 의하면, 페만 사태가 무력 충돌로

확대시 개전후 24-48시간내에 이라크와 이라크에 동정적인 테러단체 및 동

사태를 이용하려는 여타 테러 단체들(Abu Nidal 그룹, Palestine Liberation

Front 등)에 의한 대규모 테러가 시작될 것이며, 테러의 대상은 UN 결의에

／ 계　　속 ／

0149

호응한 모든 국가들이 될 것이고, 동 테러리스트들은 활동지역에 이미 배치가

완료되어 전쟁 발발과 동시에 별도 추가 훈령없이 공작을 개시할 것으로

예상됩니다.

2. 현재 본부는 관계 정보기관 및 군기관과의 협조 채널을 통해

정보교환 등 대비체제를 공고히 하고 있는 바, 귀 주재국내 테러 관련 동향과

정보 지득시 수시 보고 바라며, 귀 공관원 및 고민들에 대한 안전 대책을

수립하고, 필요시 현지 미국 공관과도 협조 체제를 구축하여 주시기 바랍니다.

3. 특히, 아국 입국 희망자의 사증 심사에 철저를 기해 주시기

바랍니다. 끝.

수신처 : 주 불가리아, 몽고, 체코, 파푸뉴기니아, 아이티 대사관.

예 고 : 91.12.31.일반

검 토 필 (1991 6.30.)

일반문서로 재분류 (19   )

0150

156 걸프 사태 대책 및 조치 3

협조문용지

분류기호 문서번호	미북 0160- 118	(전화 : 720-4648)	결 재	담당	과장	심의관
시행일자	1991.1.19.					
수 신	영사교민국장 (사본 : 중동아국장)	발 신	미주국장			(서명)
제 목	페르만전쟁 관련 대테러 활동 걸프사태					

1. 미 행정부는 우리 정부에 91.1.12. 걸프 페르만에서의 전쟁 발발이 임박

해 짐에 따라 이라크 요원, 아부니달파, 팔레스타인 해방전선등 이라크에 동정

적인 테러단체 및 금번 사태를 이용하려는 테러그룹등에 의한 대규모 테러

공작이 예상됨을 통보하면서, 이라크측의 테러활동 사전 저지를 위한 정보

교환등 한국 정부의 협조를 요청한 바 있습니다.

2. 이에따라 당국은 전 재외공관에 상기 사실을 타전하고 공관원 및

교민들에 대한 안전대책 수립을 지시하는 한편, 국가안전기획부, 내무부,

법무부, 국방부등 관계 부처에도 별첨 공문과 같이 상기 사실을 통보하고

해당부처별 필요 계획수립 및 한.미 양국간 기존 협조 채널을 통한 협조체제

수립을 요청하였습니다.

/계속/

0151

3.　또한 1.18. 발생한 밀라노 및 뉴델리 미 항공사 사무소에 대한

폭파테러 사건도 금번 사태와 관련이 있는 테러 행위인 것으로 보이며,

미측은 이러한 테러가 다국적군 참여 또는 지원국 전부를 대상으로 하고

있다고 분석하고 있습니다.

4.　당국이 취한 상기 조치 등을 참고하여, 추후 이라크측의 테러

활동에 대한 관계부처간 협조등 관련업무는 귀국에서 처리해 주시기 바라며,

미측의 추가 정보 제공시 모든 관련자료를 즉시 귀국에 전달 예정임을

첨언합니다.

첨 부 : 상기 공문 사본 1부.　　끝.

예 고 : 91.12.31. 일반

검토필 (1991. 6.)

일반문서로 재분류(19   )

0152

공   란

공   란

공　　　　란

페르시아灣 事態 報告

[91.1.16]

I. 페灣 事態 動向

II. 醫療支援團 派遣

III. 1次 僑民撤收

IV. 撤收現況 및 向後計劃

外　　　　務　　　　部
페灣 非常 對策 本部

0156

페르시아灣 事態 報告

Ⅰ. 폐灣 事態 動向

1. 外交動向

가. 제네바 會談 決裂

ㅇ 1.9. 제네바 開催 美·이라크 外務長官 會談에서 兩側은
從來의 自己立場과 主張만 反復함으로서 成果없이 끝남.

ㅇ 美·이라크 兩國間의 直接的인 平和的 解決 可能性은 사라짐.

나. 美上·下院, 폐灣 武力使用 承認 (1.12)

－ 부쉬 大統領에 대한 議會의 白紙 委任狀

다. 케야르 事務總長 仲裁努力 (1.13. 사담 후세인과 會談)

ㅇ 케야르 主張 平和 5個案

① 유엔 撤軍 時限以前 이라크軍의 쿠웨이트 撤收

② 國際社會의 對이라크 不攻擊 保障

0157

③ 多國籍軍 撤收

④ 유엔 옵서버단 撤軍 監視

⑤ 可能한 빠른 時日內에 中東平和會議 開催

ㅇ 케야르·후세인 會談結果 詳細는 常今까지 알려지지 않았으나 成果없었던 것으로 推測됨.

라. 불란서, EC, 소련의 仲裁努力

ㅇ 미테랑 불란서 大統領 中東平和 國際會議 仲裁 表明

- 基本的으로 美國의 立場과 努力을 支持(1.15이후 武力行動 參與 可能性 시사)

- 이라크가 主張하는 中東平和 國際會議 開催를 위해 알제리 등 國家와 積極的 仲裁意思 表明

ㅇ 소련, EC 諸國이 別途 仲裁努力

- 큰 期待를 걸기 어려운 狀況

0158

2. 軍事對峙 動向

가. 軍事力 對峙現況

	多國籍軍 (27個國)	이라크軍
兵 力	676,130	定規軍 : 510,000 豫備軍 : 480,000 民兵隊 : 850,000
戰鬪機	1,782	500
탱 크	3,673	4,000
艦 母	149 (航母 6 包含)	15

0159

나. 多國籍軍 編成現況

- 미 국 : 430,000 명 (1월말까지 配置完了 豫想)
- 사우디 : 61,000 명
- 이집트 : 14,000 명 (5,000명 追加 派兵 豫定)
- 영 국 : 34,000 명
- 불란서 : 10,000 명
- 바레인 : 33,500 명
- 오 만 : 25,000 명
- 시리아 : 5,000 명
- U A E : 43,000 명
- 터 키 : 100,000 명 (國境 配置)
- 모로코 : 1,700 명
- 방글라데시 : 2,000 명 (3,000 명 追加 派兵 豫定)
- 파키스탄 : 2,000 명 (3,000 명 追加 派兵 豫定)
- 其他 아르헨티나, 불가리아, 캐나다, 체코등 27個國
  총 676,130 명

0160

3. 이라크 緊急 議會(1.4) 開催

　가. 萬場一致로 聖戰 促求 決議

　나. 戰爭危險 高調

4. 戰爭 씨나리오

　가. 美國은 奇襲, 大量 爆擊, 短期戰 試圖 豫想

　　- 主要目標 : 化學武器, 核武器, 미사일 基地

　　- 豫想時期 : 2월초 以後 3.17. (라마단)以前

　나. 이라크는 이스라엘에 대한 미사일 攻擊

　　- 이스라엘 戰爭 介入

　　- 아랍의 對이스라엘 聖戰化 試圖

　　- 美國의 對이라크 攻擊과 동시 世界的인 테러 敢行

　　- 油田 爆破

　다. 人命被害, 世界 經濟에 深大한 影響 招來

　　- 美國內 反戰與論 沸騰

　　- 反이라크 聯合의 結束 弛緩

　　- 豫測하기 어려운 局面 展開豫想

0161

Ⅱ. 醫療支援團 派遣 反對論 및 對應論理

  1. 反對論
    ○ 美壓力 屈服 (請負 戰爭論)
    ○ 戰鬪兵力 派遣 前段階 (越南戰 再版論)
    ○ 南北關係 進展 障碍
    ○ 第3世界로 부터의 外交的 孤立 招來
    ○ 아랍 民族主義 刺戟 憂慮
    ○ 派遣 醫療陣 安全問題
    ○ 日本 自衛隊 派兵 빌미로 利用될 可能性

  2. 對應論理
    ○ 醫療支援團 派遣의 當爲性
      - 힘에 의한 支配를 容認치 않는 유엔 安保理 諸決議 精神을
        支持하는 我側 立場과 符合
      - 伸張된 國力에 副應한 國際平和 維持 努力 同參 必要性
        (經濟的 利益만 追求한다는 國際的 非難 回避)

0162

- 韓半島 有事時 國際社會 共同介入 期待

- 韓半島에서의 武力 挑發 可能性 事前 豫防効果

- 한·미 安保協力 態勢 再確認 意味

- 韓國戰爭時 유엔軍 參戰에 대한 道義的 考慮

- 大多數 中東諸國과의 友好關係強化

o 戰鬪要員 追加 不派兵

- 我國 人的支援은 사우디등 多國籍軍에게 絕對的으로
  不足한 醫療分野 支援에 限定

- 戰鬪要員 派兵은 檢討도 한적없으며 國會同意도 醫療
  支援團에 局限됨.

o 最少費用의 最大効果 對處方案

- 戰爭勃發 경우 追加 負擔要請 막는 効果 (醫療團 駐屯地는
  非戰鬪地域)

- 戰後 復舊事業 參與 誘導

- 對美 通商外交上 美國의 對韓 認識 好轉

0163

ㅇ 아랍 및 第3世界에 대한 外交効果

   - 國際社會 責任있는 一員으로서 人道的 趣旨에 立脚한
     獨自的 決定

   - 我國經濟에 큰 利害關係를 가지고 있는 中東諸國의
     平和와 安定回復을 위한 작은 寄與

0164

Ⅲ. 1次 僑民 撤收

1. 特別機 派遣

　가. 目 的

　　　ㅇ 公館職員 家族 및 僑民撤收

　　　ㅇ 防毒面 (2,000개) 輸送

　　　ㅇ 醫療支援團 現地 調査團 輸送

　나. 日程 : 1.14(월) 12:00 出發

　　　　　1.16(수) 06:20 到着 (豫定)

　　　　　＊ 1.15(화) 서울시간 17:00 現在 바레인 到着 推定

　다. 集結地 및 搭乘者數 (301명)

　　　ㅇ 리야드 : 200명

　　　ㅇ 암 만 : 53명

　　　ㅇ 바레인 : 48명

0165

IV. 撤收現況 및 向後計劃

1. 撤收現況

(91.1.15.현재)

國　　別	滯留者數	旣撤收者	殘留者	追　加 撤收希望者	最終 殘留者數
사 우 디	4,980	200 (特別機 撤收:200)	4,780	젯다 : 50명 리야드 :把握中	4,730
이 라 크	96	45 (特別機 撤收:37)	51	27	24
쿠웨이트	9	0	9	0	9
요 르 단	66	40 (特別機 撤收:16)	26	0	26
카 타 르	82	14	68	17	51
바 레 인	335	76 (特別機 撤收:48)	259	0	259
U. A. E.	650	142	508	31	477
총 7개국	6,218	375 (特別機 撤收:301)	5,843	125	5,718

0166

2. 向後 措置 計劃

o 걸프地域 駐在公館으로 부터 報告되는 追加 撤收 希望僑民數
  檢討, 今期間 KAL 特別機 追加 投入 豫定

  - 運航回數, 經路등은 搭乘者數, 狀況 展開에 따라 融通性
    있게 對處

  - 商事 및 建設業體에 自社 駐在員 및 勤勞者의 最大한 自進
    撤收 慫通

o 殘留僑民 身邊 安全措置 講究

  - 現地 公館別 自體 非常對策에 의거 推進

  - 戰爭 勃發時에 대비, 非常連絡 體制 維持, 非常食品 確保

  - 부득이한 事情으로 撤收가 당분간 어려운 僑民들에 대하여는
    待避所 施設 確保등 자체 自衛力 强化토록 推進

0167

```
┌─────────────────────────────┐
│ ─── 페르시아灣 事態에 關한 ─── │
│                             │
│    國家 安保會議 報告事項       │
│                             │
└─────────────────────────────┘
```

91. 1.

外　務　部

- 目 次 -

1. 페灣 事態 情勢 推移 1

　가. 開戰 經緯 및 戰況

　나. 關聯國 動向

　다. 展 望

2. 유엔 및 各國의 反應과 措置 3

　가. 유 엔

　나. 主要 國家別

3. 우리나라에 미치는 影響 4

　가. 安保的 側面

　나. 外交的 側面

4. 對 策 6

　가. 旣措置 事項

　나. 對 策

添 附 : 1. 페르시아灣 軍事力 配置狀況

　　　　2. 戰爭勃發時 大韓民國 政府 代辯人 聲明書(案)

0169

1. 페灣 事態 情勢 推移

   가. 開戰經緯 및 戰況

      ○ 美軍이 主導하는 多國籍軍은 91年 月 日 時 分에 이라크의 核 硏究
        施設, 生化學 武器庫, 後方 補給線 및 미사일 基地 等 이라크의 戰略
        施設物에 대한 先制 奇襲 空中爆擊을 개시함.

      ○ 美軍을 위시한 多國籍軍은 이라크의 防空網을 破壞, 制空權을 掌握하고
        있으며, 이라크側은 사우디 油田 및 이스라엘에 대한 미사일 攻擊을 통하여
        擴戰 및 長期戰化를 기도하고 있음.

   나. 關聯國 動向

      (美 國)

      ○ 行政府 :

         - 부쉬 大統領, 全國으로 放送된 對國民 맷세지를 통해 今番 先制
           武力使用의 正當性을 說明, 美國民의 團結과 愛國心을 호소함.
         - 또한 武力使用 개시 直後 主要 友邦國 國家 元首들에게 電話로 금번
           武力使用에 대한 支持를 요청함.

0170

ô 議 會 :

　- 美 議會, 부쉬 大統領의 今番 武力使用을 支持하는 上.下院 合同
　　決議를 採擇함.

ô 言 論 :

　- 美國內 各種 TV, 言論은 對이라크 武力 攻擊을 부쉬 大統領의
　　不可避한 選擇이라는 觀點에서 報道하고 있음.

(이라크)

　ô 사담 후세인 大統領, 全아랍 民族은 聖戰 (Jihad)에 參與하라고
　　促求하면서 이라크는 最後의 순간까지 鬪爭할 것임을 宣言함.

　ô 이스라엘의 介入을 誘導함으로써 多國籍軍의 團結 瓦解를 기도함.

다. 展 望

1) 短期 速決戰

　ô 多國籍軍의 壓倒的인 戰力에 굴복, 1주일이내 이라크가 쿠웨이트로부터
　　全面 撤收
　　- 空軍力 爲主 戰爭

0171

2

2) 事態 長期化

o 이라크의 攻擊에 대한 이스라엘의 반격으로 武力衝突 擴戰

- 아랍對 美國. 이스라엘의 對決로 發展될 경우 아랍 結束의 弛緩
으로 事態 長期化 可能性

- 다만, 이스라엘 介入時에도 이집트, 시리아, 사우디가 多國籍軍
에서 離脫할 可能性은 그리 크지 않다고 보는 見解도 있음.

3) 이라크의 部分 撤收 및 休戰 提議

o 多國籍軍이 攻擊 개시 직후, 이라크가 쿠웨이트로부터 部分 撤收를
단행한 후 休戰 및 協商을 제의함으로서 非戰非和의 膠着 狀態 持續

2. 유엔 및 各國의 反應과 措置

가. 유 엔

o 유엔 安全保障理事會는 금번 事態 勃發 직후 緊急 理事會를 소집,
事態의 早速한 終決을 위한 方案 論議中

나. 主要 國家別

o 이스라엘 : 이라크의 攻擊을 非難하고 即刻 反擊 개시

o 蘇 聯

0172

3

○ 日 本

○ 英 國 : 메이저 首相, 이라크가 쿠웨이트로부터 完全 撤收할 때까지

　　　　　이라크에 대한 武力 使用이 계속될 것임을 再闡明

○ 獨 逸 : 콜 首相, 이라크의 유엔 安保理 決議 불이행으로 인한

　　　　　開戰에 대해 이라크가 責任져야 할 것임을 言及

○ 프랑스

○ 中 國

○ 印 度

3. 우리나라에 미치는 影響

　가. 安保的 側面

　　○ 美國의 폐灣 軍事力 配置 狀況

　　　- 美 本土內 豫備兵力 動員과 유럽주둔 軍事力을 移動 配置하고,

　　　　亞.太地域 等 其他 海外駐屯 美軍의 戰鬪力 移動은 最小化

　　　- 駐韓 美軍으로부터는 小數의 專門 要員이 派遣되어 있음(부대 단위

　　　　이동 없음)

　　* 太平洋地域 美軍의 폐灣 移動 現況

　　　- 오끼나와 해병 약6천명 파견

　　　- 태평양 배속 5개 항모전단중 2개항모 전단 파견(Ranger 및 Midway)

0173

ㅇ 韓.美 聯合 防衛態勢의 運用 狀況

　- 韓.美 聯合 防衛體制의 必須 要素인 指揮, 統制, 通信 및 情報
　　機能(C3C)에 變動이 없음.

　- 페灣 事態를 이용한 北韓의 衝動 抑制를 위한 早期 警報 및 監視
　　態勢 强化를 發動中(데프콘-3 發動)

ㅇ 단, 事態의 長期化時 美國內의 反戰 雰圍氣 및 孤立主義 팽배가
　豫想됨에 따라 韓.美 安保協力 關係에 否定的인 影響 招來 可能性도
　不無

ㅇ 戰爭 授權法(War Powers Act)에 의거, 武力使用에 대한 美 議會의
　對 行政府 牽制 傾向 增大와 韓.美 相互 防衛 條約 이행과의 關係
　考慮

나. 外交的 側面

ㅇ 금번 事態로 인한 中東地域의 國際政治 秩序 變革에 대한 外交的 對應
　檢討

　- 終戰後 樹立될 이라크 政權의 性向에 따른 장기적 對處 方案 講究
　- 醫療 支援團을 戰後 救護 事業에 活用하는 方案 講究

0174

ㅇ 今番 事態를 契機로한 美國의 旣存 友邦關係 再評價 展望에 따른
   外交的 對備
   - 日本, 獨逸의 微溫的 支援 態度에 대한 美國內 否定的 視角 考慮
   - 我國의 對美 協調 姿勢 浮刻

4. 對策

가. 旣措置 事項

(僑民 撤收)

ㅇ 第1次 KAL 特別機, 1.14(月) 리야드, 암만, 바레인에 急派
   - 총 301명의 僑民 및 公館員 서울로 撤收 完了
     (리야드 200명, 암만 53명, 바레인 48명)

ㅇ 1.15(火) 現在 이라크 殘留 人員 24名(現代 23, 公館 雇傭員 1人)

ㅇ 이스라엘 滯留 人員 90名 이집트로 撤收 完了(殘留 人員 :   )

ㅇ 사우디 僑民 4,980名에 대한 撤收計劃 樹立 完了
   - 狀況 展開에 따라 이집트 等으로 撤收 豫定

ㅇ 제2차 僑民 撤收 專貰機 派遣 檢討

ㅇ 걸湾 戰爭 水域內 我國 船舶 安全 措置 講究 指示(1.16. 現在 6隻)

0175

6

(安全 對策)

  ㅇ 페灣 地域 居住 僑民에 대한 安全 對策으로 防毒面 2천 셋트를
     1.14(月) 12:00 KAL 特別機便을 利用, 사우디 리야드에 空輸함.

  ㅇ 이라크 및 Abu Nidal, Palestine Liberation Front 等 親 이라크 勢力,
     非아랍圈 回教徒, 北韓 工作員等에 의한 테러에 對備토록 公館에 訓令
     - 韓.美間 緊密 協調 體制 構築

  ㅇ 危險 地域에 대한 我國人 旅行 自制 勸告

  ㅇ 外務部 本部, 中東地域 公館 및 미.일등 主要國家 駐在 在外公館
     非常勤務 體制 確立
     - 非常 外交 通信網 點檢
     - 醫療 支援團과의 通信網 連結

나. 對 策

1) 安保 對策

  ㅇ 1.24-4.23間 實施 豫定인 T/S 訓練의 弘報를 통해 韓.美 聯合 防衛
     體制 再確認

  ㅇ 蘇聯과 中國에 대해 北韓이 여하한 挑發 衝動도 갖지 못하도록 影響力
     行使를 要請하고, 韓.美 聯合 防衛態勢의 確固함을 傳達토록 交涉

7

0176

o 유엔 安保理의 主要 理事國들과 接觸, 北韓의 誤判 可能性에 대한
  注意 喚起

o 北韓의 對內外 動向, 軍事的 움직임 銳意 注視
  - 특히 페灣에서의 戰爭 狀態에 便乘한 北韓의 對南 테러 活動 可能性 對備

2) 外交 對策

(對美 外交)

o 韓.美間 鞏固한 安保 協調 體制 維持

o 부쉬 大統領에 대한 大統領 名義 支持 親書 即時 發送 및 美側 立場
  支持 政府 代辯人 聲明 發表

o 美國의 追加 財政支援 要請에 대해 適切한 水準에서 積極 受容,
  美國으로 하여금 信賴할 수 있는 友邦이라는 認識을 갖도록 함.

o 美國의 戰鬪 兵力 派遣 要請時는 韓半島 安保 狀況, 南.北 關係의
  特殊性 等을 내세워 우선 대안으로 醫療 支援團 追加 派遣 方案을
  提示함.

8

0177

o 한편, 美 議會는 韓半島 有事時 韓.美 相互 防衛條約上 義務와 駐韓
  美軍에 대한 攻擊時 자위권 발동 측면에서 大統領의 武力 使用 權限을
  승인할 것으로 전망

  - 다만, 美 議會의 戰爭 授權法에 의한 對行政府 影響力 增大 現象
    감안, 議會內에 韓國 支持 勢力 確保 努力 倍加 必要

(對中東 外交)

o 아라비아 半島의 政治 秩序 改編, 勢力 均衡 變化 可能性等에 對備한
  中長期 對策 檢討

o 穩健 아랍 國家와의 關係 深化를 통해 原油의 安定的 確保를 圖謀

3) 南.北韓 關係

o 醫療 支援團 派遣等 우리의 기여로 北韓의 南北 對話 回避 구실 提供
  可能性에 대한 對應措置 마련

4) 經濟 對策

o 國際 原油價, 原資材 價格 動向 隨時 把握
o 戰後 복구 事業에의 參與 檢討

0178

9

5) 非戰非和 狀態 持續時 對策

ㅇ 美側의 追加 財政支援 要請이 豫想되는 바, 韓.美 友好協力 關係,
其他 他國의 支援例 等을 감안 適切한 水準에서 美側 要請 受容

ㅇ 前線國家等 周邊國에 대한 經濟 支援은 我國의 能力을 감안 適切한
水準에서 繼續 實施

첨부 : 1. 페르시아灣 軍事力 配置 狀況

2. 戰爭 勃發時 大韓民國 政府 代辯人 聲明書(案)

10

0179

페르시아灣의 軍事力 配置狀況

91. 1. 15. 現在

	이라크	美 國	多 國 籍 軍	
兵力	184 万名 (正規軍 51 万名, 民兵隊 85 万名, 豫備軍 48 万名)	43 万名	246,130 名 - GCC - 영국 - 이집트 - 시리아 - 프랑스 - 파키스탄 - 방글라데쉬 - 모로코	15 万名 3万5千名 2 万名 1万9千名 1 万名 7 千名 2 千名 1千7百名

※ GCC (페르시아灣 協力 委員會) : 사우디,
쿠웨이트, UAE, 카타르, 오만, 바레인 등 6개국

0180

	이라크	美 國	多 國 籍 軍
			- 세네갈 5百名
			- 나이지리아 4百80名
			- 체코 2百名
			- 온두라스 1百50名
			- 아르헨티나 1百名
탱크	4,000臺	2,000 臺	1,673 臺
			- GCC 800 臺
			- 이집트 400 臺
			- 시리아 270 臺
			- 영국 163 臺
			- 프랑스 40 臺
航空機	700 臺	1,300 臺	440 臺
			- GCC 330 臺
			- 영국 48 臺
			- 프랑스 36 臺

0181

	이라크	美 國	多 國 籍 軍	
			- 카나다　　18臺 - 이태리　　　8臺	
艦艇	15隻 (프리깃함 4隻, 快速艇 11隻)	55隻 (航空母艦6隻) J.F.케네디호, 아이젠하워호, 인디펜던스호, 레인저, 콘스텔레이션 미드웨이	94隻	
			- GCC	36隻
			- 영국	16隻
			- 프랑스	14隻
			- 이태리	6隻
			- 뱰기에	3隻
			- 카나다	3隻
			- 네덜란드	3隻
			- 스페인	3隻
			- 소련	2隻
			- 아르헨티나	2隻
			- 호주	2隻

0182

	이 라 크	美 國	多 國 籍 軍
			- 덴마크 1隻
			- 그리스 1隻
			- 포르투갈 1隻
			- 노르웨이 1隻

0183

戰爭 勃發時 大韓民國 政府 代辯人 聲明書(案)

1. 大韓民國 政府는 이라크가 武力을 使用하여 쿠웨이트를 不法 占領함으로써 일어난 今番 걸프灣 事態에 깊은 憂慮를 표하여 왔으며, 國際社會에서 武力에 의한 不法的인 侵略 行爲가 결코 容納되어서는 안된다는 國際法과 國際正義에 입각하여 UN 安保理의 대이라크 制裁 決議를 積極 支持하여 왔습니다.

2. 그러나, 今番 事態의 平和的 解決을 위해 유엔 安保理가 要求한 撤軍 時限을 이라크側이 拒否함으로써 事態가 戰爭으로 發展하게 된 것을 大韓民國 政府는 慨歎해 마지 않습니다.

3. 大韓民國 政府는 國際 平和維持 努力에 積極 參與하고자 多國籍軍에 대한 軍費 支援 및 關聯 前線國家에 대한 經濟援助를 제공하였으며, 또한 多國籍軍에 대한 醫療 支援을 위해 사우디에 醫療 支援團을 派遣할 豫定입니다.

4. 大韓民國 政府는 이라크側이 同 地域의 平和와 安定이 早速히 回復되기를 바라는 國際社會의 念願을 卽刻 받아들일 것을 다시한번 促求하는 바입니다.

0184

1. The Government of the Republic of Korea has expressed its deep concern over the current Gulf crisis generated by the Iraqui occupation of Kuwait by force, and has stronly supported the UN Security Council Resolutions in the light of the international law and justice that armed agression should not be tolerated in the international community.

2. The Government of the Republic of Korea deplores that the crisis has turned into a war due to Iraqui rejection of the deadline for the unconditional withdrawal of its troops from Kuwait.

3. The Government of the Republic of Korea has supported international efforts for a peaceful settlement by sharing financial burdens of multinational forces and by providing economic aids for the front line states to help maintain world peace and stability. In addition to this, the Korean Government is going to send a medical support group to Saudi Arabia to render medical care for the multinational forces.

4. The Government of the Republic of Korea urges the Iraqui Government to accept the collective will of the international community for the early restoration of peace and stability in the Gulf region.

0185

전쟁 발발시 대한민국 외무부 성명서 (제2안)

1. The Government of the Republic of Korea expresses its deep concern
   and regrets for the Gulf Crisis outbroken at this point of time
   when the trend towards the peaceful settlement of International
   disputes has been enhancing and, hopes that the situation can be
   qucikly settled in the direction of the desire of the great
   majority of the peoples in the world.

2. This Crisis was started with the Iraq's occupation of Kuwaiti
   territory by force.   That is a serious breach of the International
   law against the will of the great majorty of peace-loving peoples
   in the world, committing unspeakable brutality desregarding the
   ultimatum of UN Security Council Resolution No. 678 demanding the
   unconditional withdrawal of Iraqi troops from Kuwaiti territory ~~until~~ by
   Jan. 15, 1991.

3. In response to this, the Government of the Republic of Korea will make
   its all efforts possible to support the multinational military forces
   in every ways including detachment of the medical support team to the
   Gulf region and support of the transportation, respecting UN Security
   Council Resolutions concerning the Gulf Crisis and the will of the great
   majority of peace-loving nations wishing for world peace.
   We will positively join the International efforts for the solution
   of the conflict.

0186

4. The Government of the Republic of Korea strongly urges the immediate
    withdrawal of Iraqi troops from Kuwaiti territory and the restoration
    of the lawful Kuwaiti Government, making its basic position clear that
    any nation of the world shall not be allowed to attack other nation
    by force.

    We have a strong desire that permanent peace can be established in the
    Middle East and furthermore in the world at the earliest possible date.

0187

전쟁 발발시 대한민국 외무부 성명서(2안)

1. 대한민국 정부는·국제 분쟁의 평화적으로 해결 기운이 고양된 현
   시점에서 발발한 걸프만 사태에 대해 우려와 유감을 금치 못하며,
   걸프만 사태가 세계 인민의 대다수가 원하는 방향으로 조속히
   해결되길 희망합니다.

2. 동 사태는 이라크의 쿠웨이트 무력 점령으로 시작된 것으로, 이는
   국제법의 중대한 위반이며, 세계 평화를 원하는 인민의 대다수의
   의지에 반하는 것으로, 유엔 안보리의 최후 유예 기간까지 무시한
   천인 공노할 만행 입니다.

3. 이에 대한민국 정부는 세계평화를 원하는 대다수의 평화 애호
   국가의 의지와 걸프지역 분쟁에 관한 유엔 안보리 결의를 존중하여
   ✓ 의료단 파견, 수송 지원등 각종 지원을 아끼지 않을 것이며 동
   사태 해결을 위한 국제적 노력에 적극 동참할~것입니다.

4. 대한민국 정부는 이라크의 조속한 철군과 원상태 회복을 강력히
   촉구하며, 세계 어느 국가도 무력에 의한 타국의 침공을 허용할 수
   없다는 기본 입장을 밝히면서 중동의 영원한 평화, 나아가 세계의
   항구적인 평화가 달성되길 희망합니다.

0188

유엔 안보리 철군 시한 경과후

~~대한민국 정부~~ 외무부 대변인 성명(안)

1991. 1. 16.

1. 대한민국 정부는 유엔 안보리 결의가 설정한 1.15. 철수 시한이 지났음에도
   불구하고 이라크 정부가 쿠웨이트에 불법 주둔중인 이라크군을 아직 철수치
   않고 있음을 유감스럽게 생각합니다.

2. 이에 따라 페르시아만 지역정세가 전쟁 발발 일보 직전으로 치닫고 있어
   페르시아만 인근지역 전체는 물론 전세계인들을 공포와 불안에 떨게하고 있는
   데 대해 우리는 깊은 우려를 갖고 있습니다.

3. 우리 정부는 이라크 정부가 지금이라도 전세계 평화 애호인의 염원에 부응하여
   유엔 안보리 결의가 요구하고 있는 바와 같이 쿠웨이트로부터 즉각 철군할
   것을 거듭 촉구하는 바입니다.

4. 대한민국 정부는 이 기회를 빌어 페르시아만 지역에 파견된 미국을 비롯한
   다국적군의 헌신적인 평화유지 노력에 깊은 경의와 찬사를 보내고자 합니다.

끝.

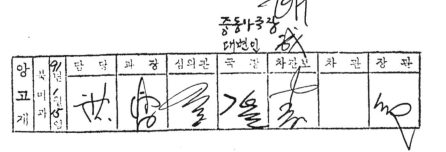

0189

전쟁 발발시 대한민국 외무부 성명서(안)

1. 대한민국 정부는 이락이 무력을 사용하여 쿠웨이트를 불법 점령함으로써 일어난 급변 걸프만 사태에 깊은 우려를 표하여 왔으며, 국제사회에서 무력에 의한 불법적인 침략 행위가 결코 용납되어서는 안된다는 국제법과 국제정의에 입각하여 UN 안보리의 대이락 제재 결의를 적극 지지하여 왔습니다.

2. 그러나, 급변 사태의 평화적 해결을 위해 유엔 안보리가 요구한 철군 시한을 이락측이 거부함으로써 사태가 전쟁으로 발전하게 된 것을 대한미국 정부는 개탄해 마지 않습니다.

3. 대한민국 정부는 국제 평화유지 노력에 적극 참여하고자 다국적군에 대한 군비 지원 및 관련 전선국가에 대한 경제원조를 제공하였으며, 또한 다국적군에 대한 의료 지원을 위해 사우디에 의료지원단을 파견할 예정입니다.

4. 대한민국 정부는 이락측이 동 지역의 평화와 안정이 조속히 회복되기를 바라는 국제사회의 염원을 즉각 받아들일 것을 다시한번 촉구하는 바입니다.

0190

(別 添)

戰爭 危險地域 滯留僑民 現況

(91.1.6. 現在)

國 家 別	總 滯 留 者 數	公館員, 商社, 建設業體 勤勞者	純 粹 僑 民 (現地就業者等)
사 우 디	4,980 (사우디大使館管轄: 3,622) (젯다總領事館 管轄 : 1,358)	3,070 (公館員 147, 業體 2,923)	1,910
이 라 크	125 (쿠웨이트 僑民 9명 包含)	116 (公館員 9, 業體 107)	9 (쿠웨이트 殘留 僑民 9명 包含)
요 르 단	89	12 (公館員 12, 業體 0)	77
바 레 인	335	278 (公館員 14, 業體 264)	57
카 타 르	77	19 (公館員 13, 業體 6)	58
U. A. E.	650	329 (公館員 19, 業體 310)	321
總 6個地域	6,256	3,824	2,432

0191

	분류번호	보존기간

발 신 전 보

AM-0016
GM-0016—   910117 1200   FK.

번   호 :   긴급   CZ. BL. MG. HA. CO
                                                     파우치 송부.

수   신 : 주   전재외공관장   대사//총영사

발   신 : 장   관   (중근동)

제   목 : 페만 전쟁 발발 정부 대응

1.   정부는 1.17.(목)   10:00   아래 요지의 정부대변인(공보처장관)
성명을 발표함.

가.   이라크가 유엔이 정한 시한을 거부하므로써 전쟁이 발발하게 된것을 개탄함.

나.   다국적군에 대한 군비지원 및 관련 전선국가에 대한 경제원조를 제공하였으며,
      사우디에 의료 지원단을 파견할 예정임.

다.   전쟁 피해가 예상되는 지역에 거주하는 우리 교민과 이지역을 여행하는 우리
      국민, 항해중인 선박은 현지공관의 지시를 받아 안전대책의 강구를 요망함.

라.   정부는 한반도 안전과 국가 이익에 미치는 영향을 감안, 이번 사태에 대처하고 있음.

마.   우리 국군은 국가 안보를 굳건히 유지하기 위해 물샐틈 없는 경계태세에
      있음.

바.   국민에게 근검절약을 통해서 위기적 상황을 극복하도록 노력해 줄것을 당부함.

사.   정부는 이라크측이 쿠웨이트로 부터 즉각 철수할 것을 다시한번 촉구함.

2. 한편 노태우대통령은 부시미국대통령에게 미국의 행동을
   지지하는 친서를 발송함. (상세는 별련)

예 고 : 91.6.30. 일반

3. 정부는 1.17(목) 14:00 대통령주재로 국가안보회의,
   16:00 임시국무회의 개최 예정임.

1991. 6. 3.에 예고문의
의거 일반문서로 재분류함
(강조)

보 안	
통 제	

미주3과 기술

앙고재	91년1월17일 중근동	기안자성명		과 장		국 장		차 관	장 관 위정		외신과통제

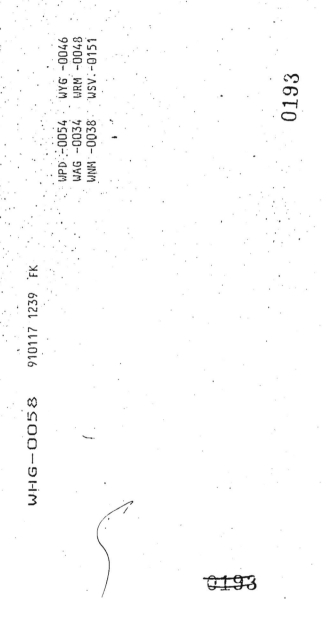

WHG-0058   910117 1239 FK

WPD.-0054   WYG.-0046
WAG.-0034   WRM.-0048
WNM.-0038   WSV.-0151

0193

0193

분류번호	보존기간

발 신 전 보

WMEM-0008 910117 1052 FK 종별: 조기주

번 호 :

수 신 : 주 전 중동지역 공관장^{대사//총영사}

발 신 : 장 관 (중근동)

제 목 : 걸프 전쟁 발발

비상근무 체제하에 귀지 아국 교민 안전대피 및 철수에 최선을
다하기 바라며 이락의 귀 주재국에 대한 군사행동 가능성, 비상사태에 대한
주재국 정부의 대응등 관련사항을 ~~매시간~~ 수시 보고 바람. 끝.

(대책본부장   이 기 주)

예 고 : 1991.6.30. 일반

보 안 통 제	

앙 고 재	91 년 1 월 1 일	중 근 동 과	기안자 성명		과 장		국 장		차 관	장 관	

외신과통제

0194

발 신 전 보

WMEM-0009 910117 1057 DC

번   호 :   종별 : 초긴급

수   신 : //주전중동지역 공관장 태사 //총영사

발   신 : 장 관 (대책반)

제   목 : 페만 전쟁

전쟁발발에 따라, 귀지 거주 교포등의 철수문제가 심각하게
검토되어야 할 것으로 생각되는바, 철수 교포수 파악, 필요한
출국조치, KAL 기의 귀지 착륙허가 획득등 제반 문제를 긴급 파악
보고 바람.

(대책본부장 이기주)

예고 : 91. 12. 31. 일반

앙고재	91년1월1일 장준규과	기안자	과 장	국 장	차 관	장 관	보안통제	외신과통제

0195

```
┌─────────────────────┐
│ 폐灣事態  特別對策   │
│ 委 員 會  會議資料    │
└─────────────────────┘
```

「폐」 灣事態 特別對策

1991.1.17.

法 務 部

0196

목 차

1. 기본방향 ――――――――――――――――――――――――― 1

2. 사회불안조성 불법집단행동 엄중 대처 ――――――― 2

3. 물가안정저해 및 경제질서교란사범 엄단 ―――――― 3

4. 불순위해분자 잠입봉쇄 ―――――――――――――――― 4

0197

1. 기본방향

o 강력범죄와 불순집단행동에 엄중 대처

o 재소자관리의 철저와 출입국심사 강화

o 검찰청, 교도소등 중요시설 경비 철저

o 비상근무체제 확립

1

0198

2. 사회불안조성 불법집단행동 엄중 대처

　가. 단속대상

　　　ㅇ 허위사실을　날조. 유포하거나　다국적군의 군사행동을
　　　　왜곡하는 좌익불순세력의 선전. 선동행위

　　　ㅇ 군의료진 파견반대를 선동하는 대학가의 불법집회. 시위
　　　　행위

　　　ㅇ 미대사관, 미문화원, 국내진출은행, 기업등에 대한 화염병
　　　　투척, 점거기도행위

　나. 단속체제 강화

　　　ㅇ 대검찰청 지휘하에 전국 각 검찰청 공안부 검사를
　　　　중심으로 비상근무체제 수립, 시행

　　　ㅇ 학원가와 각 운동단체, 불순단체에 대한 정보수집활동을
　　　　강화하고, 유관기관과 적극 협조하여 효율적으로 대처

　　　ㅇ 불법집단행동이 확산되어 사회불안이 야기되지 않도록
　　　　주동자등을 적기에 사법조치

2

0199

3. 물가안정저해 및 경제질서교란사범 엄단

　　가. 단속대상

　　　　o 석유제품 판매가격위반, 석유류 수급질서위반

　　　　o 폭리목적의 매점 . 매석

　　　　o 가격담합등 물가안정저해행위

　　　　o 가격조장목적 유언비어 유포

　　나. 엄중한 처벌

　　　　o 합동단속반에 의한 집중단속 실시

　　　　o 중요법법자에 대한 엄벌과 행정제재 병행

　　　　o 정부의 경제안정시책 강력히 지원

3

0200

4. 불순위해분자 잠입봉쇄

   가. 공항만의 특별근무반 편성운영

      ○ 임무

         ─ 국제 테러분자등 불순위해분자 잠입저지대책 강구

         ─ 위해첩보등 안전대책관련 정보수집 강화 및 신속
           대처

         ─ 안전대책 관련기구 및 유관부처와 협조체제 유지

         ─ 신원특이 외국인에 대한 동향조사활동 강화

         ─ 상황유지 및 보고

            · 안전대책반별로 일일상황 유지
            · 주요상황 발생시 즉시 보고

      ○ 안전대책반 편성

         ─ 편성대상 : 본부 및 전국 12개 사무소

         ─ 운영기간 : 91. 1. 17~사태종결시까지

         ─ 구   성

            · 본 부 : 반장 ─ 입국심사과장
            · 사무소 : 반장 ─ 과장급

4

0201

나. 입국심사 강화

  ○ 위. 변조 여권소지자 적발 철저

  ○ 아랍 게릴라, 적군파등 테러분자 입국봉쇄

  ○ 입국목적 불분명자, 빈번입국자, 기타 의심스러운 자등에
    대하여는 입국목적, 체류기간, 국내연고자 유. 무 확인등
    실질심사

  ○ 선박등에 대한 입검활동 강화 및 선원 상륙심사 철저

다. 체류외국인 동향감시 강화

  ○ 체류외국인에 대한 불순위해행동등 행적 파악

  ○ 관계기관과 유기적인 협조체제 강화

라. 신속한 보고체제 확립

  ○ 중점 심사대상국가 국민에 대한 출입국사항 보고
    ― 일일보고 : 익일 08 : 00까지

  ○ 주요사항등 특이사항
    즉시보고

5

0202

1.15(우)
국회용

ㅇ 美國은 페르시아湾 地域에 주로 美本土内 豫備兵力과 유럽 駐屯 軍事力을
移動 配置하여, 亞.太地域等 여타 海外駐屯 美軍의 戰鬪力 移動을 최소화
하였음.

ㅇ 우리安保와 聯關이 있는 亞.太地域 美軍事力으로는 太平洋 配置 5개 航母
戰團中, Midway 호, Ranger호등 航母 2척과 오끼나와 駐屯 海兵 약6천명이
移動 配置되었고, 駐韓美軍은 小数의 전문요원이 파견되었을 뿐 부대단위
移動은 없어, 亞.太地域 美軍의 戰鬪力에는 큰 변화가 없다고 봄.
※ 太平洋 配屬 美 航母戰團(5개) : Midway, Ranger, Independence
Constellation, Vinson

ㅇ 페湾 開戰에도 불구, 韓.美 聯合 防衛體制의 필수요소인 指揮, 統制, 通信 및
情報 機能에는 變動이 없으며, 페湾 事態를 이용한 北韓의 衝動 抑制를
위해 早期警報 및 監視 態勢를 강화하였음.

ㅇ 中.長期的으로 보면 東西和解 趨勢에도 불구, 이번 페湾 事態로 在來軍備에
의한 地域 紛爭의 可能性이 立證되어, 地域 紛爭에 効果的으로 對應키
위한 在來軍備 維持의 必要性을 인식, 美國의 海外 軍事力 駐屯 戰略
再檢討 과정을 調整할 可能性이 있음.

0203

o 또한 유엔를 통한 實效的 集團 裁製 措置 성공시, 北韓等 不法的 武力 使用 潛在 勢力에 대한 警告 効果가 예상되며, 특히 消極的이지만 蘇聯과 中國의 유엔 裁製措置 同參내지 同意는 北韓의 警覺心을 일깨워 주는 효과가 예상됨.

0204

페만 지역 전황

(미 국방부 소식통 인용 보도)

1991. 1. 17, 13:30 현재

o 미, 영, 사우디 해. 공군 전투기, 이라크 군사시설에 대규모 공습 감행

o 이라크의 모든 공군기지, 전투기, 화학무기 공장, 핵시설, 및 정예
   공화국 사단 궤멸 추정   미사일기지

o 모든 다국적군 폭격기 안전 귀대 신고

o 현재 공군. 해군 폭격기 귀대, 폭격 중지, 파괴정도 평가후 재폭격 예정

0205

현 중동사태가 우리 안보에 미치는 영향

1. 미국의 페만 군사력 배치 상황

   ο 미 본토내 예비병력 동원과 유럽주둔 군사력을 이동 배치

   ο 아.태지역등 기타 해외주둔 미군의 전투력 이동 최소화

2. 태평양지역 미군의 페만 이동 현황

   ο 항모전단 Midway, ~~Independence~~ Ranger 및 오끼나와 해병 약6천명 파견

   ※ 태평양 배속 항모전단 (5개) : ~~Vincent~~ Vinson, Ranger, Constellation,
   Midway, Independence

   ο 주한미군은 소수의 전문 요원 파견(부대단위 이동 없음)

3. 한.미 연합 방위태세의 운용 상황 및 한반도 안보에 미치는 영향

   ο 한.미 연합 방위체제의 필수요소인 미군의 지휘, 통제, 통신 및 정보
   기능에 변동 없음

   ο 페만사태를 이용한 북한의 충동 억제를 위해 조기 경보 및 감시태세
   강화 발동중이며, 북한도 이러한 태세를 인지

   ο 1.24이전 훈련 실시 발표로 한.미 연합 방위체제 건재를 과시

0206

중동사태가 한국 안보에 미치는 영향과 대책

1. 미국의 페만 군사력 배치 상황

   o 미 본토내 예비병력 동원과 유럽주둔 군사력을 이동 배치

   o 아.태지역등 기타 해외주둔 미군의 전투력 이동 최소화

2. 태평양지역 미군의 페만 이동 현황

   o 항모전단 Midway, Independence 및 오끼나와 해병 약6천명 파견
   (손글씨: Ranger)

   ※ 태평양 배속 항모전단 (5개) : Vincent, Ranger, Constellation,
   Midway, Independence
   (손글씨: Vinson)

   o 주한미군은 소수의 전문 요원 파견(부대단위 이동 없음)

3. 한.미 연합 방위태세의 운용 상황 *(손글씨: 및 다기간 영향등)*

   o 한.미 연합 방위체제의 필수요소인 지휘, 통제, 통신 및 정보 기능에
   변동 없음

   o 페만사태를 이용한 북한의 충동 억제를 위해 조기 경보 및 감시태세
   강화 발동중이며, ~~북한도 어떠한 태세를 인자~~

4. *(손글씨: 중량기간 영향)*

0207

4. 폐만 전쟁 발발시 한반도 안보를 위한 외교적 대책

   ㅇ 1.24-4.23간 실시예정인 T/S 훈련의 홍보를 통해 한.미 연합 방위체제의
   건재를 과시함

   ㅇ 미국 정부로 하여금 금번 대이락 군사 조치는 국제 평화 파괴를 도발
   하는 행위는 용인되지 않는다는 교훈과 미국의 대외 안보 공약 준수
   의지를 과시하는 것임을 천명토록 함

   ㅇ 쏘련과 중국에 대해 북한이 여하한 도발 충동도 갖지 못하도록 영향력
   행사를 요청하고, 한.미 연합 방위태세의 확고함을 전달토록 교섭함

   ㅇ 필요시, 유연 안보리의 주요 이사국들과 접촉, 북한의 오판에 의한
   한반도 유사시, 대북 제재 결의안 즉각 통과를 위한 사전 정지 외교를
   전개함

0208

미국정부가 한국정부에 보낸 긴급 전문 멧세지

91. 1. 17

o 미 대통령은, 핵심 연합국과의 협의하에, 이라크와 쿠웨이트내에 있는
  이라크 군대에 대하여 군사 작전 개시를 명령하였음.

o 연합군이 이라크내 군사적, 전략적 목표를 공격하는 것은 이라크의
  파괴, 점령 또는 해체가 아니라, 쿠웨이트의 해방을 목적으로 한 것임.

o 미 대통령의 결정은 1. 15이후 '필요한 모든 수단'의 사용을 허용한 유엔
  안보리 결의 678호에 따른 것임.

o 그간, 미국과 동맹국들은 평화적인 방법에 의한 이라크의 철수를 위하여
  가능한 외교적 노력을 다하였으나, 이라크는 이러한 모든 노력을 거부
  하고, 쿠웨이트의 해체와 대량살상 무기의 제조를 계속하였음.

o 군사작전을 수행함에 있어, 미국과 동맹군들은 민간인 희생을 최소화
  하는등 제네바 협정의 모든 규정을 존중할 것임.

o 이라크에 대해서도 생, 화학 무기와 핵무기등 대량살상 무기의 사용을
  피하도록 하고, 쿠웨이트내 유전파괴나 미국과 동맹국 시민들에
  대한 테러행위가 있을 경우에는 이라크 지도층이 모든 책임을 져야할
  것임을 경고하였음.

o 이라크의 테러 공격 가능성에 대비하여 미국인과 시설에 대한 보안 조치
  강화를 위한 귀국의 협조를 요청함.

o 이번 적대행위가 가능한 한 조속히 종결되기를 기대하며, 이라크는
  쿠웨이트에서 무조건적이고 즉각적인 완전 철수를 함으로써 더 이상의
  파괴를 피할 수 있음.

o 유엔 안보리 결의 678호에 따라, 미국은, 다국적군에 대한 귀국의
  지지와, 적절하다면 계속적인 기여를 요청함.

o 미국은 상황이 전전됨에 따라, 귀국과의 협의를 계속할 것임.   끝.

0209

-- IN CONSULTATION WITH KEY MEMBERS OF THE
INTERNATIONAL COALITION, THE PRESIDENT HAS ORDERED U.S.
FORCES TO COMMENCE MILITARY OPERATIONS AGAINST IRAQI
FORCES IN IRAQ AND KUWAIT. U.S. AND COALITION FORCES
HAVE INITIATED COMBAT OPERATIONS.

-- ALTHOUGH COALITION FORCES ARE STRIKING MILITARY AND
STRATEGIC TARGETS IN IRAQ, OUR GOAL IS NOT THE
DESTRUCTION, OCCUPATION OR DISMEMBERMENT OF IRAQ. IT IS
THE LIBERATION OF KUWAIT.

-- THE PRESIDENT'S DECISION IS PURSUANT TO AND IN
COMFORMITY WITH UN SECURITY COUNCIL RESOLUTION 678,
WHICH AUTHORIZES THE USE OF "ALL NECESSARY MEANS" AFTER
JANUARY 15 TO IMPLEMENT RELEVANT UN SECURITY COUNCIL
RESOLUTIONS AND TO RESTORE INTERNATIONAL PEACE AND
STABILITY IN THE AREA.

-- THE PRESIDENT TOOK THIS STEP ONLY AFTER EXHAUSTING
ALL DIPLOMATIC OPTIONS AND AFTER HAVING DETERMINED THAT
THE GOVERNMENT OF IRAQ WOULD NOT COMPLY PEACEFULLY WITH
THE UNITED NATIONS SECURITY COUNCIL RESOLUTIONS CALLING
UPON IT TO WITHDRAW FROM KUWAIT.

-- THE GOVERNMENT OF IRAQ WAS GIVEN EVERY OPPORTUNITY
TO WITHDRAW. THE UNITED STATES AND ITS COALITION
PARTNERS TOOK EVERY STEP POSSIBLE TO LEAVE IRAQ IN NO
DOUBT OF THE CONSEQUENCE OF A FAILURE TO COMPLY WITH THE
UNSC RESOLUTIONS BY JANUARY 15.

-- THE U.S. STRONGLY PREFERRED THAT IRAQ COMFLY
PEACEFULLY WITH ALL UNSC RESOLUTIONS, AND THE
INTERNATIONAL COMMUNITY MADE EXHAUSTIVE DIFLOMATI-
EFFORTS TO THAT END. IRAQ HAS REJECTED OR IGNORED:

-   - SECRETARY BAKER'S DIRECT TALKS WITH FOREIGN

-   MINISTER TARIQ AZIZ ON JANUARY 9 AND THE PRESIDENT'S
-   WRITTEN LETTER TO SADDAM HUSSEIN OF JANUARY 5;

-   - THE PERSONAL EFFORTS OF UNSYG PEREZ DE CUELLAR
-   DURING HIS MISSION TO BAGHDAD ON JANUARY 12-13, AND
-   HIS APPEAL ON JANUARY 15 TO WITHDRAW UNCONDITIONALLY;
-   AND

-   - SUPPORTING EFFORTS BY THE EUROPEAN COMMUNITY, THE
-   ARAB LEAGUE, THE NON-ALIGNED MOVEMENT, AND NUMEROUS
-   COUNTRIES AND PRIVATE AND PUBLIC INDIVIDUALS.

0210

2.

- IN THE COURSE OF THESE EFFORTS, IRAQ WAS ASSURED
THAT, IF IT WITHDREW PEACEFULLY: (1) IT WOULD NOT BE
ATTACKED; (2) IT COULD NEGOTIATE A PEACEFUL RESOLUTION
OF ITS DIFFERENCES WITH KUWAIT AFTER WITHDRAWAL AS
STATED IN UNSC RESOLUTION 660; (3) ECONOMIC SANCTIONS
NOT RELATED TO THE MILITARY ESTABLISHMENT WOULD BE
QUICKLY REVIEWED; (4) THE U.S. SOUGHT NO PERMANENT
GROUND PRESENCE IN THE REGION; AND (5) THE U.S. WOULD
CONTINUE TO SEEK PEACEFUL RESOLUTION OF THE ARAB-ISRAELI
DISPUTE.

-- ALL SUCH DIPLOMATIC EFFORTS WERE REJECTED BY IRAQ.

-- ECONOMIC SANCTIONS AND THE UN EMBARGO FAILED TO FORCE
IRAQI COMPLIANCE, AND THERE WAS NO INDICATION THAT THEY
WOULD DO SO IN THE FORSEEABLE FUTURE.

-- IRAQ WAS CONTINUING THE DISMANTLEMENT OF KUWAIT, THE
STRENGTHENING OF ITS FORTIFICATIONS, AND THE MANUFACTURE
OF ADDITIONAL WEAPONS OF MASS DESTRUCTION.

-- INDEED, IRAQ MADE CLEAR IT DID NOT RECOGNIZE THE
UNSC RESOLUTIONS AND WOULD NOT COMPLY WITH THEM.

-- FURTHER DELAY WOULD ONLY HAVE PROLONGED THE SUFFERING
OF THE KUWAITI PEOPLE AND INCREASED RISKS TO THE
COALITION FORCES.

-- U.S. AND COALITION OPERATIONS ARE BEING CARRIED OUT
IN FULL COMPLIANCE WITH AFFLICABLE INTERNATIONAL
CONVENTIONS ON THE LAWS OF ARMED CONFLICT, INCLUDING
ATTEMPTING TO MINIMIZE CIVILIAN CASUALTIES.

-- WE HAVE WARNED IRAQ TO AVOID THE USE O WEAPONS OF
MASS DESTRUCTION (CHEMICAL, BIOLOGICAL, AND NUCLEAR)
AND TO RESPECT ITS OBLIGATIONS UNDER THE LAW OF ARMED
CONFLICT AND THE GENEVA PROTOCOL OF 1924. USE OF SUCH

TACTICS AND WEAPONS WILL OCCASION A DRAMATIC ESCALATION
OF HOSTILITIES AND OBJECTIVES.

-- WE HAVE ALSO MADE CLEAR THAT WE WILL HOLD THE IRAQI
LEADERSHIP RESPONSIBLE FOR ANY DESTRUCTION OF KUWAIT'S
OIL FIELDS AND FOR ANY ACTS OF TERRORISM CARRIED OUT
AGAINST THE U.S. OR OUR ALLIES.

-- IN LIGHT OF THE PLANS OF IRAQ AND GROUPS ACTING ON
ITS BEHALF TO CONDUCT TERRORISM AGAINST AMERICAN TARGETS
THROUGHOUT THE WORLD, WE SEEK YOUR COOPERATION IN
ENHANCING THE SECURITY OF OUR CITIZENS AND FACILITIES.
WE ARE READY TO WORK WITH YOU IN COUNTERING TERRORIST
THREATS.

0211

-- WE HOPE TO BRING HOSTILITIES TO CONCLUSION AS SOON
AS POSSIBLE, CONSISTENT WITH THE FULL IMPLEMENTATION OF
UNSC RESOLUTIONS.

-- IRAQ CAN STILL AVOID FURTHER DESTRUCTION BY
UNCONDITIONAL, IMMEDIATE, AND COMPLETE WITHDRAWAL FROM
KUWAIT.

-- SECURITY COUNCIL RESOLUTION 678 REQUESTED ALL STATES
TO PROVIDE APPROPRIATE SUPPORT FOR ACTIONS TAKEN BY
STATES COOPERATING WITH KUWAIT TO IMPLEMENT THE SECURITY
COUNCIL DECISIONS.

-- MY GOVERNMENT, THEREFORE, REQUESTS ~~YOUR PUBLIC~~
SUPPORT OF (AND, IF APPROPRIATE, CONTINUED CONTRIBUTIONS
TO) THE COALITION EFFORT. I HAVE BEEN ASKED TO REPORT
PROMPTLY YOUR PUBLIC STATEMENT.

-- WE WILL CONTINUE TO CONSULT WITH YOUR GOVERNMENT AS
THE SITUATION DEVELOPS.

0212

정 리 보 존 문 서 목 록					
기록물종류	일반공문서철	등록번호	2021010235	등록일자	2021-01-28
분류번호	721.1	국가코드	XF	보존기간	영구
명 칭	걸프사태 : 대책 및 조치, 1990-91. 전11권				
생 산 과	중동1과/북미1과	생산년도	1990~1991	담당그룹	
권 차 명	V.6 1991.1.18-31				
내용목차	1.30 걸프전 관련 한국 정부의 추가 지원 결정 공식 발표				

0001

공   란

공   란

공   란

공   란

공   란

공   란

공 란

공 란

공   란

장관님 기자 간담회 준비

(91.1.19. 토, 10:00시)

장관 언급 사항

1. 외교정책 추진 방향

2. 금년도 주요 외교 일정

   (공관장 회의, ESCAP 총회, APEC 회의등)

3. 외교 선진화 방안 (비도도 조건)

4. 페르시아만 사태 현황 및 대책

5. 북경 주재 무역대표부 설치 계획

6. UR 현황 및 전망

주요 예상 질의

1. "페"만 파병 및 추가지원 문제

2. 의료지원단 선발대 파견의 위헌 여부

3. 미측의 대이라크 공격 사전 통보 경위

4. "페"만 전쟁 장기화 시 주한미군 감축 가능성

5. 대소 경협 규모 및 내역

6. 팀 스피리트 훈련 계획 변경 여부

7. 일.북한 관계 개선과 일황 방한 문제

0011

4. 페灣 戰爭 長期化時 駐韓美軍 減縮 可能性

  ㅇ 페灣 戰爭은 美 政府 발표나 언론 보도에 따르면 대체로 聯合軍의 作戰

     計劃대로 진행되고 있다고 볼수 있으며, 이런 상황에서 페灣 戰爭의 長期化

     可能性을 상정하고, 이에 따른 駐韓美軍 減縮 可能性을 論議하는 것은

     적절치 못함.

1991. 1. 19. 13:00 현재

다국적군 항공피해상황

- 미군기 ; 4대
- 영국 ; Tornado 2대
- 이태리 ; Tornado 1대
- 쿠웨이트 ; Sky Hawk 1

_____

계 8대

이라크 방역 대응장비

○지대공 Missiles ; 700문
—Roland (Made in France) ; 100
—SA-2/14 (Made in USSR) ; 600

○대공포 ; 4,000

걸프 戰爭과 對策

91. 1. 20.

1. 21. 국회본회의 대비 참고자료.

外 務 部

0015

目 次

I. 戰爭 槪要

    1. 開戰 背景

    2. 多國籍軍의 戰爭目標

    3. 이라크의 戰略

    4. 多國籍軍의 戰爭 시나리오

II. 戰 況

III. 展 望

IV. 我國에 대한 影響

V. 政府의 對應策

    1. 外交的 對應策

    2. 僑民 安全對策

    3. 經濟 利益 保護 對策

0016

I. 戰爭 槪要

1. 開戰 背景

　가. 이라크의 撤軍 拒否 立場 固守

　　ㅇ 屈服에 의한 政治的 地位 또는 權力 喪失보다는 "帝國主義 超强國"에 대한
　　　 대항을 통해 오히려 政治的 基盤 强化 可能 계산

　　　 - 戰爭에 패배하더라도 1956년 낫세르와 같이 政治的으로는 아랍의 영웅이
　　　　 될 것으로 期待

　　　 - 戰爭이 始作되면 美國 및 유럽에서의 反戰 雰圍氣 및 아랍世界의 反美
　　　　 感情 非難등으로 이라크의 完全 敗北前에 休戰이 可能할 것으로 상정

　나. 經濟制裁 措置 效果에 대한 西方側의 懷疑

　　ㅇ 經濟制裁 措置를 통한 이라크의 撤收 誘導 不可 判斷

　다. 冷戰以後 國際秩序 維持에 있어서 秩序 攪亂行爲 不容 意志 貫徹

　　ㅇ 國際社會에서 不法行爲에 의해 政治的 問題를 解決할 수 없다는 先例 確立

　라. 이라크에 의한 철저한 쿠웨이트 破壞 및 解體에 대한 國際的 公憤

1

0017

2. 多國籍軍의 戰爭 目標

가. 美國의 旣存 4대 目標

ㅇ 쿠웨이트로부터 이라크軍의 即刻的, 無條件的인 撤收

ㅇ 쿠웨이트 正統 合法 政府의 復歸

ㅇ 美國人의 生命 및 安全保護

ㅇ 中東 地域의 平和와 安定回復

나. 美國의 政治.戰略的 目標

ㅇ POST-COLD WAR 時代에 있어 새로운 世界秩序 確立
- 美國의 繼續的인 指導的 役割 確保
- 地域紛爭의 防止 및 地域勢力間 覇權 爭奪戰, 특히 弱肉强食的
  侵略行爲 抑制

ㅇ 世界 原油 市場과 供給의 安定化

ㅇ 사우디, 이스라엘, 터키등 中近東地域의 美國 核心 友邦國에 대한 安全保障

ㅇ 域內 勢力 均衡 및 安定 體制 構築
- 이라크의 覇權 追求 封鎖

0018

다. 多國籍軍의 軍事作戰 目標

ㅇ 쿠웨이트로부터 이라크軍의 逐出

- 美國의 軍事作戰은 이라크의 破壞나 占領이 아니라는 점을 수차 公開的
  으로 闡明

  · 이라크內로의 地上戰 擴大의 경우 招來될 수 있는 長期戰에 대한
    美國民의 拒否感,

  · 이라크에 대한 지나친 報復時 政治的 副作用,

  · 아랍측 聯合軍 일부의 軍事目標 擴大 反對 등 考慮

ㅇ 이라크의 核 開發能力, 生.化學武器 및 미사일 破壞를 통한 中東地域
  平和 및 安定威脅 要素 除去

0019

別 3

3. 이라크의 戰略

  가. 금번 戰爭을 政治戰 樣相으로 展開

    º 쿠웨이트와 팔레스타인 問題(이스라엘)의 連繫

    º 이스라엘에 대한 아랍의 聖戰으로 擴大

  나. 사우디, 이집트, 시리아의 反이라크 聯合 瓦解

    º 對 이스라엘 攻擊을 통한 아랍世界의 反유태 感情 觸發

  다. 長期戰化

    º 戰爭 遂行이 困難하게 될 3月 以後까지 遲延 戰術

    º 西方 世界에서의 테러活動 積極化

    º 美國內의 反戰무드 誘發로 美國의 戰爭 계속 遂行 意志 弱化
      - 地上戰時 美軍의 人命損失 極大化 기도

    º 多國籍軍의 團結 弛緩

0020

4. 多國籍軍의 戰爭 시나리오

가. 이라크의 戰爭能力 除去 및 쿠웨이트 奪還

   ※ 3段階 戰爭 計劃

   - 1 段階 : 지휘, 統制, 通信(3C) 情報(I) 미사일, 戰鬪機, 飛行場,
             核.化學 武器 製造 施設 등 破壞

   - 2 段階 : 軍需, 兵站, 輸送網 등 破壞
             - 쿠웨이트內 이라크軍에 枯死 作戰

   - 3 段階 : 쿠웨이트에 대한 地上軍 攻擊으로 쿠웨이트 解放

나. 戰爭의 舞臺를 이라크.쿠웨이트에 局限

   ° 이라크의 對 이스라엘 攻擊 能力 破壞

   ° 이스라엘의 參戰 沮止

다. 短期戰

   ° 長期戰時 憂慮되는 政治的 負擔 考慮(反戰運動 등)

   ° 사막地域의 氣象條件 考慮

5

0021

Ⅱ. 戰 況

1. 戰鬪機 매일 1,000回 이상 出擊, 토마호크 미사일 196機 發射(1.19.現在), 80%의 作戰 成功率

2. 이미 2段階 作戰 實施中

   ° 1段階 作戰計劃이 完結된 것으로 보이지 않으며, 상금도 일부 지휘, 通信, 移動 미사일, 空軍機 등이 作動中

3. 多國籍軍의 被害率은 越南戰의 1/6에 不過

4. 3段階 作戰을 위한 態勢 突入

5. 이라크側 戰鬪態勢 整備, 散發的 反擊 進行中

   ° 移動形 SCUD 미사일에 의한 이스라엘 攻擊

   ° 小規模 戰鬪機 出擊에 의한 空中 邀擊

6. 이라크, 世界 各地에서 테러活動 開始

6

0022

```
┌─────────────── * 今番 戰爭의 特徵 ───────────────┐
│                                                          │
│                                                          │
│     -  國際秩序의  改編  過程에서의  戰爭               │
│                                                          │
│     -  政治戰  및  軍事戰의  混合                        │
│                                                          │
│     -  유엔  歷史上  最大의  會員國  介入              │
│        (28個國이  多國籍軍  參與)                       │
│                                                          │
│     -  最尖端의  科學技術에  의한  戰爭               │
│                                                          │
│     -  冷戰時代와  같은  美.蘇  代理戰  性格이  아님.  │
│                                                          │
└──────────────────────────────────────────────────────────┘
```

ㄱ

0023

Ⅲ. 展望

1. 多國籍軍, 1월말까지 最大限의 空中攻擊 敢行

   ○ 이라크軍의 移動 미사일 발사기 破壞(移動 미사일 발사기는 30-40개 남아 있는 것으로 推定)

   ○ 攻擊 目標의 擴大

   - 一般市民 生活에 影響을 미치는 施設破壞로 民心離叛을 통해 후세인 政權에 負擔 加重

   ○ 이라크의 戰爭遂行 能力 事實上 除去

2. 多國籍軍側, 이스라엘의 參戰 自制 繼續 要請

   ○ 이스라엘의 參戰은 戰爭의 早期 終結에 중대한 沮害 要素

   ○ 아랍측의 對이라크 聯合前線에 否定的 效果

3. 本格的인 쿠웨이트 奪還 作戰은 2月 初旬 實施 展望

   ○ 1月末 까지의 大量 爆擊으로 쿠웨이트 地域의 地上兵力 破壞

   - 이라크軍의 最精銳인 共和國 守備隊 궤멸 시도

0024

ㅇ 多國籍軍(地上軍) 쿠웨이트 投入, 쿠웨이트를 이라크으로부터 遮斷, 고립화

ㅇ 쿠웨이트 駐屯 이라크군에 대한 枯死 作戰 展開

ㅇ 늦어도 3월 말경까지는 쿠웨이트 奪還 豫想

4. 軍事 行動은 2개월 내지 3개월의 短期戰으로 終結될 展望

5. 이스라엘 參戰時의 展望

가. 이스라엘의 對이라크 空中 攻擊時 요르단 또는 시리아 領空通過 不可避

   ㅇ 시리아는 이스라엘의 報復이 自衛權 行使 範圍에 머무는 한, 反이라크
      聯合前線에서 離脫치 않을 것이라는 立場 表明

나. 이집트도 聯合前線에 잔류하겠다는 立場 堅持

다. 이라크의 계속적인 對이스라엘 攻擊으로 이스라엘이 參戰하는 경우
    戰爭 樣相이 複雜해져 長期化될 가능성 농후
    - 시오니즘 對이슬람 對決로 變質

0025

Ⅳ. 我國에 대한 影響

  1. 安 保

  ㅇ 短期的으로 우리나라의 防衛力에는 별다른 영향을 미치지 않을 것으로
     判斷됨.
     - 駐韓 美軍의 걸프 地域으로의 移動 配置 等 戰力의 減縮은 없음.

  ㅇ 그러나 今番 戰爭으로 世界의 이목이 걸프 地域에 集中되어 있는
     現 狀況下에서 발생할지도 모를 韓半島에서의 有事時에 對備 必要
     - 韓.美間 緊密한 協力下에 完璧한 安保 態勢 確立

  ㅇ 이라크에 대한 國際社會의 응징이 성공적으로 이루어질 경우 우리의 安保
     에도 肯定的인 效果
     - 冷戰終熄 以後의 國際社會에서 武力侵略 같은 不法行爲는 결코 容納될
       수 없다는 先例 確立, 北韓의 武力赤化統一 路線 間接 抑制 效果

  2. 韓.美 關係

  ㅇ 韓.美 同盟關係 鞏固化에 寄與
     - 美國에 대한 積極的인 支援을 통해 신뢰할 수 있는 友邦이라는 認識
       浮刻(多國籍軍 支援 및 醫療 支援團 派遣等)

  ㅇ 21세기를 향한 성숙한 同伴者 關係를 確立하는 데 튼튼한 礎石을 마련

0026

3. 經濟

가. 短期戰의 境遇

o 原油 供給

- 世界的 次元에서의 原油生産 및 供給에는 큰 蹉跌이 없을 것으로
  展望(걸프地域 石油生産 및 輸送施設 破壞 可能性 稀薄)

- 따라서, 우리나라에 대한 原油 供給에는 큰 支障이 없을 것으로 봄.

o 經濟 展望

- 걸프 戰爭의 短期戰 展望으로 國際株價가 最近 上昇하는등
  今後의 經濟 展望은 오히려 밝아짐.

- 우리나라의 경우, 中東地域에 대한 輸出商品 일시 선적중지등
  損失 예상. 그러나 短期戰으로 끝날 경우 今後 우리 經濟에
  肯定的 效果 可能

나. 長期戰의 境遇

o 原油 供給

- 戰爭이 長期化 되는 경우, 주로 이라크.이스라엘 戰域에 集中될
  것이며, 따라서 걸프地域(사우디 東部, UAE, 카타르)의 原油 生産
  施設에는 큰 感脅이 없을 것임.

0027

- 油價는 戰爭 長期化의 심리적 영향으로 다소 上昇할 가능성이 있으나, 戰爭 勃發前 水準 이상으로 大幅 上昇하지는 않을 것으로 봄.

o 國 經濟 展望

- 이스라엘의 參戰에 의하여 戰爭이 확대되고 中東地域의 戰爭으로 發展 되는 경우에는, 심리적으로 世界 經濟에 影響을 미칠 것임. 따라서 株價下落, 需要감퇴, 經濟成長 鈍化 等 不安要因으로 作用할 것이며 이러한 世界經濟의 全般的인 下降 局面에 의하여 우리나라의 全體 輸出에 지장을 招來할 것임.

0028

V. 정부의 대응책

외교적 대응책

1. 당면 대책

  가. 한반도 유사시에 대비한 한.미 안보 협의 체제 긴밀화

  나. 유엔 결의에 따른 다국적군 지원 의지 계속 표명

  다. 의료지원단 파견을 계속 활용

  라. 주변국가에 대한 경제적 지원을 외교적으로 활용

  마. 친 이락 국가들을 자극하지 않는 외교적 자세 유지

  바. 우리의 주요 원유 공급선이며, 건설시장인 사우디에 대하여는 각별한 우호
      협력의 태도 표시

2. 중장기 대책

  가. 걸프 전쟁 종결이후의 중동정치 정세 전망

    - 종전후 사담 후세인은 중동 정치 무대에서 사라지고 이락의 위상도
      저하, 이집트.시리아.이란등의 영향력 증대

    - PLO 의 입지 약화 (친 이락 반사우디 입장에 기인), 그러나 팔레스타인

13

0029

문제 자체에 대한 아랍제국의 결속에는 큰변화가 없을 것이며 팔레스타인 문제 해결을 위한 국제적 노력이 강화될 것임. 그러나 동 문제 해결을 위요한 이스라엘과 미.영 관계의 마찰 가능성 있음.

- 전쟁기간중 형성된 사우디.이집트.시리아 3국의 결속은 전쟁종결후 동국가들의 이해관계, 대외정책 상이등으로 장기간 지속되지는 못할 것이며 중동지역 패권 경쟁 가능성 있음. (불안 요소)

- 이락의 쿠웨이트 침공으로 GCC 국가들은 왕정의 유지 및 국가방위를 위해 역외 강대국가와의 안보협력 체제 수립 모색

- 미국등 서방국가들은 석유자원의 안정적 확보를 위해 중동지역의 안보 협력 체제 구축 시도

- 이러한 안보 협력 체제 수립과는 별도로 미군이 걸프지역에 장기 주둔 가능성

- 금번 전장에서 2차적 역할 수행에 그쳤던 소련의 대중동 영향력은 약화될 것임.

- 전쟁 종결로 이라크의 위협이 제거되어 일시적으로는 정치적 안정을 찾게 될 것이나, 장기적으로는 아랍세계 전반에 흐르는 대서방 적대 감정이 금번 전쟁으로 더욱 뿌리 박혀 미국과 협력하는 일부 정권의

0030

전복 가능성도 있을 것임. 또한 왕정국가들의 민주화 요구도 더욱
증대 예상

- 결론적으로 전쟁이후 중동 정치의 당면과제는

① 중동의 안보 협력 체제 구축 문제와

② 팔레스타인 문제로 집약될 것임.

나. 우리의 대응책

- 근간 아국의 대중동 정책은

① 원유의 안정적 공급 확보

② 건설 진출 시장으로서의 중요성등 경제적 측면에 주안을 두어
왔으며 금후에도 이러한 정책기조는 계속 유지될 것임.

- 그러나 아랍권의 국제정치에서의 비중에 비추어 한반도 문제에 대한
이들의 지지도 아국의 외교상 중요함.

다. 따라서 아국은 아랍권 개별 국가와의 양자관계 발전에 노력하고 금후
구축될 걸프지역 안보 체제에 대한 관심도 기울어야 할 것임.

라. 특히 미수교국이며, 전후 중동정치 전면에 부상할 시리아, 이집트와의
관계 정상화를 위해 금번 경제지원을 계기로 노력을 배가할 것임.

마. 이라크와는 후계 정권의 성향에 관계없이 원유 도입, 건설 진출을 위해
종래의 돈독한 관계 유지토록 적극 노력

0031

15

바. 아랍권과의 관계 강화를 위해서는 팔레스타인 문제 해결을 위한 국제적
   노력에 적극적 입장을 표명하는 것이 중요함. 이스라엘에 대해서는
   대미 관계등을 고려 내면적인 관계를 견지함.

0032

1. 전쟁 위험지역 체류교민 철수현황 및 대책

   O 교민 철수 현황은

      - 91.1.5. 현재 사우디, 이라크, 쿠웨이트, 요르단, 카타르, 바레인,
        U.A.E. 이스라엘 8개국에 총 6,329명이 체류하고 있었으나,

      - KAL 특별기편으로 301명이 철수한 것을 비롯 그간 총 701명이 철수,
        현재 5,628명이 잔류중임.

      - 국가별로는 사우디 4,697, 요르단 21, 카타르 65, 바레인 259, U.A.E.
        483, 이스라엘 71, 이라크 23, 쿠웨이트 9명이 각각 잔류

   O 교민들의 비상 철수는

      - 사태 추이 및 본국 철수 희망 교민수를 보아가며, 신속한 철수를 위해
        KAL 특별기를 추가 운항, 이들을 긴급 수송할 계획이나 1.17. 전쟁 발발
        이후 걸프지역 대부분의 공항이 폐쇄됨으로써 특별기 투입 곤란

      - 공항폐쇄로 인해 항공편 이용이 불가능할 경우, 이용 가능한 해상 및
        육로를 통해 근접국으로의 안전 대피 조치

0033

- 특히 전쟁으로 피해가 예상되는 사우디 동북부지역 체류 교민 1,121명에 대해서는 리야드, 타이프, 젯다 등으로 임시 대피토록 조치, 이미 751명이 안전지대로 대피 완료, 잔여 370명도 긴급 대피 준비중

o 현재 이라크 잔류 현대건설 소속 직원 22명은 현장 관리 필수 요원들로서 부득이 잔류하게 되었으나 현대 본사와 긴밀히 협조, 요르단 또는 이란 국경을 통한 육로 철수 방법을 모색중

o 정부는 철수 교민의 사후 대책으로,

- 무의탁 교민에 대하여 보사부등 관계기관과 협조, 임시 거처 및 생계 구호대책 강구 예정

2. 전쟁 위험지역 잔류 교민 신변 안전 대책

o 공관별로 수립된 비상계획에 의거, 교민의 개인 신상 사전 파악 및 공관과의 비상 연락 체제 유지

o 방공호 등 비상 대비시설, 비상 식량등을 확보하여 자체 자위력을 강화토록 하며 현지 공관의 자체 긴급 대피 계획에 따라, 현지 실정에 맞게 잔류 교민의 안전 조치 강구중

0034

- 특히, 잔류 교민이 안전 지대로 긴급히 대피할 경우 대비, 현지
  진출업체 캠프 등을 활용 임시 숙소를 마련해 놓고 있을 뿐아니라

- 이들이 유사시 근접국으로 긴급 대피에 대비, 근접국 주재 아국 공관
  에도 긴급 훈령을 내려 이들의 입국이 가능토록 사전 조치 완료

o 또한, 화학전에 대비, 방독면을 지급 교민의 신변 보호에 만전을
  기하도록 조치

- 예를 들면, 유사시 교민 전원 및 공관 직원 가족등이 대사관저로 옮겨
  집단 거주하여 조를 편성 경비를 강화케 하고

- 매일 안전 대책 회의를 갖고 비상 사태에 대비하며

- 또한 이들의 외출을 가급적 자제케하는 방법등을 통한 적절한 대처 강구

o 위험지역 공관원 및 가족 전원에 대해서는 근로자에 대해서는 진출업체 별로
  전쟁 모험 가입을 권장중

0035

19

경제이익 보호 대책

1. 원유 수급

    O 아국은 이라크.쿠웨이트로부터 중단된 물량 이상을

    - 이미 사우디, 이란, 멕시코 등으로의 도입선 전환을 통해 장기계약

      형태로 확보하는 등 전쟁 발발 가능성에 적극 대처하며 왔으며

    - 비록 사우디 유전이 일부 파괴되어 금후 도입에 일부 영향을 받더라도

      정부 비축 및 정유사 재고물량으로 단기적 대처에는 문제가 없을

      것으로 전망

      ※ 90.12.31. 현재 정부비축 4,000만 배럴, 정유사 재고 3,500만 배럴,

         수송중 물량 3,200만 배럴로 아국 소비량 114만 B/D 기준 93일 지속

         가능

    O 그러나 정세 불안 요인이 많은 중동지역 원유에 대한 아국의 의존도가

       과도한 점을 감안

    - 단기적으로는 원유 도입선 다변화, 장기 공급 계약선의 유지, 확대

      필요시 미국과의 상호 원유 공급 협정 체결을 위해 외교적 측면 지원

      제공

0036

22

254 걸프 사태 대책 및 조치 3

- 장기적으로는 원유의 안정적 수급을 위하여 국내외 유전 개발 촉진,
  대체 에너지 개발, 석유 비축분 증량, 에너지 절약형 산업 구조로의
  전환 정책에 비중

2. 전후 복구 사업 참여

  o 이라크.쿠웨이트는 각각 중동지역 원유 매장량 3위와 5위을 차지하는 국가
    로서 전쟁종결후 막대한 원유 수입이 기대되며 이들국가의 전후 복구 사업
    참여를 금후 최대 중요 과제로 추진

  o 전쟁종결후 수립될 이라크.쿠웨이트 양국 정부와의 즉각적인 관계 강화,
    개선 노력

  o 각종 복구사업, 사회기간 산업, 써비스등 각종분야 진출 추진

  o 이를 위해 의료 지원단 활동 활용

0037

21

外務部 걸프事態 非常對策 本部

題 目 : 이라크의 대사우디 미사일 공격   1991. 1. 21.
    (주사우디 대사관 전화보고 : 1. 21. 12:50)
    현지시간 1. 21. 06:50

o 다국적군 사령부 발표내용

1. 지난 24시간 동안 2차에 걸친 이라크의
   SCUD 미사일 공격이 사우디내에 있었음.

2. 모두 10개의 미사일이 공격하여 왔으며,
   다국적군은 2중에 9개를 타격했음

3. 처음 3개의 미사일이 사우디 현지시간
   1. 20. 21:15에 사우디 동부지역으로
   공격하여 왔고, 5개의 Patriot 요격
   미사일이 이 3개 미사일을 모두 파괴했음.

4. 또한 1. 21. 02:45에 이라크는 7개의
   SCUD 미사일을 발사하였으며, 이중
   4발이 리야드, 2발이 다란, 1발은
   동부의 해역에 떨어졌음.

1

外務部 걸프事態 非常對策 本部

題 目: 리야드 미사일 피격   1991. 1. 21.
        (주사우디 대사관 전화보고 09:55)
        오늘 새벽 이:00경 (현지시간)

1. 리야드 시내 공군기지 (OLD AIRPORT)로 부터 약 500m 지점 주택가에 미사일 한개 떨어져 단독주택 1동이 대파됨. (아국 교민 현장 확인)

2. 인근 1km 지점 하마디 종합병원에 근무하는 아국인 간호원에 의하면 중상자 2명, 경상자 4명이 하마디병원에 입원 했다 함. (한국인은 없음)

3. 소문에는 사망자 있는데, 사망자는 사우디 경찰에서 다른 병원으로 옮겼을 가능성 있다 함.

4. 현장에는 인파가 몰려 있으며, 경찰이 교통통제 하고 있음.

政府綜合廳舍 810號   電話 : 730-8283/5, 730-2941. 6. 7. 9, (구내) 2331/4, 2337/8   Fax : 730-8286
0039

양측 주요 장비

1991. 1. 21.
미주국 안보과

다국적군

가. 항공기

(지휘, 통제, 정찰기)

o E-3 Awacs(10대) : 공중 지휘.통제, 적의 공중.지상 움직임 포착

o E-2C Hawkeye(20-30대) : 적기감시, 아군기와 지휘소간 정보통신

o E-8 J STARS(2대) : 지상군 이동 감시.추적

o TR-1(6대) : 고공 사진촬영

o OA-10 (미확인) : 적기포착, 아군기에 정보제공

o RF-4C Phantom (미확인) : 정찰, 사진촬영

(전자 교란.공격기)

o EA-8B Prowler(약 30대) : 적 레이다 및 통신 교란

o EF-111(약 24대) : 적 레이다 교란 및 아군기 엄호

o F-4G Wild Weasel (약 24대) : 적 레이다 교란 및 파괴

0040

(전폭기)

- A4 Sky Hawk(20대) :   쿠웨이트 공군 보유, 구형

- AV-8B Harrier(80대) : 수직 이착륙 함재기

- F14 A Tomcat(약100대) : 원거리 항모·함대 방어용

- F15 E Eagle(약250대) : 최고성능 정밀 전투·폭격기, 야간 공격에 적합

- F16 Falcon(약175대) : 고도의 기동력, 기습 공격 및 요격용

- F18 Hornett(약220대) : 함재기, 미해군 주력기, 저공 및 고공전투 능력 탁월

√ - F117 Stealth(44대) : 레이다망 회피가능, 대공화기, 통신시설등 정밀 폭격용

- Tornado(약80대) : 영국 공군의 주력, 정찰·공중전·지상공격용

- Jaguar(36대) : 프랑스 공군 보유, 활주로 공격에 적합

- Mirage(30대) : 프랑스 공군의 주력기, 지상및 수상 목표물 공격

- A10 Thunderbolt(약100대) : 저공비행, 대전차 공격용

- AL 130(미확인) :

(폭격기)

- B 52(26대) : 미군 주력 폭격기, 대규모 고공 폭격 및 융단 폭격용

- F 111F(70대) : 장거리 폭격용, 야간 폭격에 적합 (터키지역 배치 추정)

- A6 Intruder(약100대) : 함재기, 적지 침투 공격용

- A7 Corsair(20대) : 함재기

(헬 기)

√ - AH-64A Apache : 고성능 전자장비 장착, 레이다 유도 대전차 공격용
                        Hell Fire 미사일 장착, 야간 공격 가능

0041

나. 미사일

✓ o Tomahawk : 장거리 정밀 공격용 순항 미사일, 위스콘신 전함에서 발사

✓ o Patriot : 미사일 요격용 미사일

다. 탱크

o M~~1~~ 1A1 Abrams : 미군 최신예 탱크, 최고시속 80km, 4인 탑승, 무게 62톤,
    120mm 주포 장착

✓ 라. 포

o MLRS 다연장 로켓트포 : 12개 로켓트를 일시에 발사, ~~대규모 포격용~~ 인마살상 및 대전차용등

M2 Bradely 경보병 전차에 탑재

가. 항공기

(지휘, 통제, 정보기)

○ IL-76 Mainstay (2대) : 공중 지휘, 통제
○ MiG-21(5대) : 적기 탐지, 아군기에 정보제공
○ MiG-25(7대) : 전폭기에서 정찰기로 전환

(전폭기)

○ MiG-29 Fulcrum (30대) : 이라크 보유 최신예 전폭 및 요격기, 고도의
  기동성, 레이다유도 공대공 미사일 장착
  (미군의 F15와 기능유사)

○ MiG-25 Fox Bat(25대) : 구형 전폭기
○ MiG-23 Flogger(90대) : 공대지 미사일 장착
○ MiG-21 Fishbed (150대) : 공중전, 지상공격, 엄호.정찰등 다기능 전폭기
○ SU-25 Frogfoot (60대) : 엄호기
○ SU-24 Fencer(16대) : 장거리 폭격용, 다양한 공대지 미사일 장착 가능
  (미군의 F111과 기능유사)
○ SU-20 Fitter-K (70대) : 지상공격용
○ SU-7 Fitter-A (30대) : 구형, 지상공격용
○ J-7(30대) : 중국제 MiG 21
○ J-6 Farmer (30대) : 중국제 전투.지상공격 및 정찰용
○ Mirage(미확인) : 프랑스제, 지상 및 수상 목표물 공격용

0043

(폭격기)

o TU-22 Blinder (8대) : 초음속 폭격 및 정찰용

o TU-16 Badger (4대) : 중거리 폭격 및 해상정찰용

o Xian H-6D(4대) : 중국제 TU-16, 해상정찰 및 수상 목표물 공격용

(헬 기)

o Mi-24(미확인) : 소련제 공격용헬기, 대전자 미사일 장착

나. 미사일

(장거리 지대지 미사일)

o Scud B 미사일(약200개) : 소련제 이동식 탄도 미사일, 트럭에 탑재가능
                          사정거리 280km

o Al-Hussein : Scud 미사일 개조, 사정거리 600km 로 연장, 화학탄 장착가능

o Al-Abbas : Scud 미사일 개조, 사정거리 900km 로 연장, 사정거리 연장
             으로 정확도 저조
             * scud 미사일 발사대는 40기중 30기 잔류 추정

(단거리 지대지 미사일)

o Silkworm : 사정거리 80km

o FROG 7 : 단거리 이동식 탄도 미사일, 사정거리 70km, 이라크 보유
           미상일중 최고의 정확도

(지대공 미사일)

o Roland 미사일(100기) : 불.독 합작생산, 저공 및 헬기 공격에 적합

o SA 2/14 미사일 : 소련제, 고도 정밀의 장거리 미사일, 고공 공격가능

o 개량형 Hawk : 미제, 쿠웨이트군으로부터 접수

0044

다. 탱크

o T72(미확인) : 이라크 탱크의 주력, 최고시속 80km, 3인승, 무게 41톤,
                125mm 주포장착

라. 포

o GC 155mm 장거리 자주포 : 사정거리 40km, 대전차 및 인마살상용
o 대공포
   - ZSU-45P
   - M - 1939
o 기타 약 3,500 문의 토우 및 자주포 보유, 이중 약 3,100 문이 쿠웨이트
   전역에 배치

0045

다국적군과 이라크간 군사력 비교

1991. 1. 21 현재

	다 국 적 군	이 라 크	이 스 라 엘
병 력	65만 (45만)	- 정규군 : 51만 - 예비군 : 48만 - 민병대 : 85만	- 정규군 : 14만 - 예비군 : 50만
항 공 기	1,740 (1,300)	700 500	676
탱 크	3,673 (2,000)	4,000	3,794
함 정	149 (55)	15	90

※ ( ) 안은 미군

0046

양측 주요 장비

1991. 1. 21.
미주국 안보과

```
다국적군
```

가. 항공기

　(지휘, 통제, 정찰기)

　　o　E-3 Awacs(10대) : 공중 지휘.통제, 적의 공중.지상 움직임 포착

　　o　E-2C Hawkeye(20-30대) : 적기감시, 아군기와 지휘소간 정보통신

　　o　E-8 J STARS(2대) : 지상군 이동 감시.추적

　　o　TR-1(6대) : 고공 사진촬영

　　o　OA-10 (미확인) : 적기포착, 아군기에 정보제공

　　o　RF-4C Phantom (미확인) : 정찰, 사진촬영

　(전자 교란.공격기)

　　o　EA-8B Prowler(약 30대) : 적 레이다 및 통신 교란

　　o　EF-111(약24대) : 적 레이다 교란 및 아군기 엄호

　　o　F-4G Wild Weasel (약24대) : 적 레이다 교란 및 파괴

0047

(전폭기)

- ~~A4 Sky Hawk(20대)~~ : ~~쿠웨이트 공군 보유, 구형~~
- AV-8B Harrier(80대) : 수직 이착륙 함재기
- F14 A Tomcat(약100대) : 원거리 항모.함대 방어용
- F15 E Eagle(약250대) : 최고성능 정밀 전투.폭격기, 야간 공격에 적합
- F16 Falcon(약175대) : 고도의 기동력, 기습 공격 및 요격용
- F18 Hornett(약220대) : 함재기, 미해군 주력기, 저공 및 고공전투 능력 탁월
- F117 Stealth(44대) : 레이다망 회피가능, 대공화기, 통신시설등 정밀 폭격용
- Tornado(약80대) : 영국 공군의 주력, 정찰.공중전.지상공격용
- Jaguar(36대) : 프랑스 공군 보유, 활주로 공격에 적합
- Mirage(30대) : 프랑스 공군의 주력기, 지상및 수상 목표물 공격
- A10 Thunderbolt(약100대) : 저공비행, 대전차 공격용
- ~~AL-130(미확인) :~~

(폭격기)

- B 52(26대) : 미군 주력 폭격기, 대규모 고공 폭격 및 융단 폭격용
- F 111F(70대) : 장거리 폭격용, 야간 폭격에 적합 (터키지역 배치 추정)
- A6 Intruder(약100대) : 함재기, 적지 침투 공격용
- ~~A7 Corsair(20대) : 함재기~~

(헬 기)

- AH-64A Apache : 고성능 전자장비 장착, 레이다 유도 대전차 공격용
  Hell Fire 미사일 장착, 야간 공격 가능

0048

나. 미사일 ~~및 포~~

  o Tomahawk : 장거리 정밀 공격용 순항 미사일, 위스콘신 전함에서 발사

  o Patriot : 미사일 요격용 미사일

다. 탱크

  o MI Abrams : 미군 최신예 탱크, 최고시속 80km, 4인 탑승, 무게 62톤,

                120mm 주포 장착

라. ~~포~~

  o MLRS 다연장 로켓트포 : 12개 로켓트를 일시에 발사, 대규모 포격용

0049

가. 항공기 전력

(지휘, 통제, 정보기)

o IL-76 Mainstay (2대) : 공중 지휘, 통제
o 기타 (미확인) (MiG-25 등)
o MiG-21(5대) : 적기 탐지, 아군기에 정보제공
o MiG-25(7대) : 전폭기에서 정찰기로 전환

(전폭기)

o MiG-29 Fulcrum (30대) : 이라크 보유 최신예 전폭 및 요격기, 고도의
                          기동성, 레이다유도 공대공 미사일 장착
                          (미군의 F15와 기능유사)

o MiG-25 Fox Bat(25대) : 구형 전폭기

o MiG-23 Flogger(90대) : 공대지 미사일 장착

o MiG-21 Fishbed (150대) : 공중전, 지상공격, 엄호.정찰등 다기능 전폭기

o SU-25 Frogfoot (60대) : 엄호기

o SU-24 Fencer(16대) : 장거리 폭격용, 다양한 공대지 미사일 장착 가능
                         (미군의 F111과 기능유사)

o SU-20 Fitter-K (70대) : 지상공격용

o SU-7 Fitter-A (30대) : 구형, 지상공격용

o J-7(30대) : 중국제 MiG 21

o J-6 Farmer (30대) : 중국제 전투.지상공격 및 정찰용

o Mirage(미확인) : 프랑스제, 지상 및 수상 목표물 공격용

0050

(폭격기)

o TU-22 Blinder (8대) : 초음속 폭격 및 정찰용

o TU-16 Badger (4대) : 중거리 폭격 및 해상정찰용

o Xian H-6D(4대) : 중국제 TU-16, 해상정찰 및 수상 목표물 공격용

(헬 기)

o Mi-24(미확인) : 소련제 공격용헬기, 대전자 미사일 장착

나. 미사일

(장거리 (지대지 미사일))

o Scud B 미사일(약200개) : 소련제 이동식 탄도 미사일, 트럭에 탑재가능
　　　　　　　　　　　　　　　사정거리 280km

o Al-Hussein : Scud 미사일 개조, 사정거리 600km 로 연장, 화학탄 장착가능

o Al-Abbas : Scud 미사일 개조, 사정거리 900km 로 연장, 사정거리 연장
　　　　　　　으로 정확도 저조
　　　　　　　* Scud 미사일 발사대는 40기중 30기 잔류 추정

(단거리 (지대지) 미사일)

o Silkworm : 사정거리 80km

o FROG 7 : 단거리 이동식 탄도 미사일, 사정거리 70km, 이라크 보유
　　　　　　미상일중 최고의 정확도

(지대공 미사일) 및 도

o Roland 미사일(100기) : 불.독 합작생산, 저공 및 헬기 공격에 적합

o SA 2/14 미사일 : 소련제, 고도 정밀의 장거리 미사일, 고공 공격가능

o 개량형 Hawk : 미제, 쿠웨이트군으로부터 접수

o 기타

0051

다. 탱크

○ T72(미확인) : 이라크 탱크의 주력, 최고시속 80km, 3인승, 무게 41톤,
125mm 주포장착

라 포

○ GC 155mm 장거리 자주포 : 사정거리 40km, 대전차 및 인마살상용

○ 대공포
- ZSU-45P
- M- 1939

○ 기타 약 3,500 문의 토우 및 자주포 보유, 이중 약 3,100 문이 쿠웨이트
전역에 배치

0052

중동지역 군사력 증파

1. 18 ; 미지상군 2만명 증파.

1. 20 ; 항모 포레스털호
(플로리다 파병)
지중해 향진

1. 20 ; 이탈리아 항모 1척
홍해 진입

美최첨단·초정밀兵器「스마트彈」

레이저反射波 받아 目標物 파괴

뷔어난 정확성에 地上軍의 공포대상

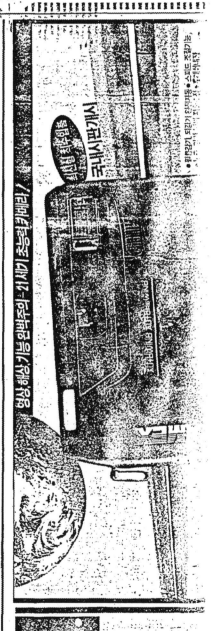

〈金〉

수 신 : 장 관   발 신 : 주미대사
제 목 :

브단
품적
(매)

KEY WEAPONS IN THE IRAQI ARSENAL

MIG-29 Fulcrum: Iraq's best fighter for air-to-air combat. Roughly equivalent to the U.S. F-15, the highly maneuverable plane carries heat-seeking and radar-guided air-to-air missiles. Before the war began, Iraq had 30 MiG-29s.

Type: Counter-air fighter with attack capability.

Crew: Pilot only.

Range: About 1,300 mi.

Maximum speed: 1,520 mph.

Armament: Six medium-range radar-homing AA-10 and/or short-range AA-11 air-to-air missiles. One 30 mm gun. Can carry a variety of other bombs, missiles and rockets.

MIG-23BN Flogger F: Soviet-made, single-seat fighter-bomber is also part of the Cuban, Libyan, Syrian and Vietnamese air forces. The plane is equipped with a laser range finder and can carry AS-7 Kerry missiles.

Su-24 Fencer: Deep-strike Soviet attack aircraft can carry a wide range of air-to-surface weapons and bombs for ground attack. Roughly equivalent to the U.S. F-111.

F-1 Mirage: French-made fighter and attack aircraft can be used against ground and naval targets. An Iraqi F-1 carried the Exocet anti-ship missiles that disabled the USS Stark and killed 37 of its crew in May 1987.

MI-24: Soviet-made assault helicopter carries anti-tank missiles. The U.S. Apache helicopter is used for comparable missions.

MISSILES

Roland: French-German mobile surface-to-air missile system primarily intended for use against low- and medium-altitude aircraft and helicopters. Iraq is believed to have about 100.

Improved Hawk: American-made air defense systems used to shoot down enemy aircraft were captured from Kuwaiti forces. Iraq's forces are now believed capable of operating this sophisticated weapon.

SA-6: Sophisticated, Soviet mobile long-range surface-to-air missile.

Silkworm: Iraqis have a version of the Chinese-made anti-ship missile that can be launched from a bomber. Range is about 50 miles.

Frog-7: Mobile Soviet-made short-range ballistic missile. Capable of hitting targets 45 miles away. The most accurate of Iraq's surface-to-surface missiles.

Scud-B: Mobile Soviet ballistic missile with range of about 175 miles. Launchers can be mounted on trucks.

Al-Hussein: Iraqi-modified version of the Scud has increased range of 375 miles and can carry high-explosive warheads; the missile may be capable of carrying chemical warheads.

Al-Abbas: Another Iraqi-modified Scud has range of 560 miles. Increasing the range of these missiles has decreased their accuracy.

Artillery: Estimated 3,500 pieces of towed and self-propelled artillery. Roughly 3,100 pieces are believed deployed in the Kuwaiti theater of operations.

T-72 Tanks: Soviet main battle tank operated by crew of three. The U.S. Army considers its M-1 tank (62 tons) superior to the T-72 (41 tons).

Compiled by James Schwartz; drawings by Peter Hoey—The Washington Po

0055

페灣 戰爭이 우리 安保에 미치는 影響

o 美國은 페르시아灣 地域에 주로 美本土內 豫備兵力과 유럽 駐屯 軍事力을
  移動 配置하여, 亞.太地域等 여타 海外駐屯 美軍의 戰鬪力 移動을 최소화
  하였음.

o 우리安保와 聯關이 있는 亞.太地域 美軍事力으로는 太平洋 配置 5개 航母
  戰團中, Midway 호, Ranger호등 航母 2척과 오끼나와 駐屯 海兵 약6천명이
  移動 配置되었고, 駐韓美軍은 小數의 전문요원이 파견되었을 뿐 부대단위
  移動은 없어, 亞.太地域 美軍의 戰鬪力에는 큰 변화가 없다고 봄.
  ※ 太平洋 配屬 美 航母戰團(5개) : Midway, Ranger, Independence,
     Constellation, Vinson

o 페灣 開戰에도 불구, 韓.美 聯合 防衛體制의 필수요소인 指揮, 統制, 通信 및
  情報 機能에는 變動이 없으며, 페灣 事態를 이용한 北韓의 衝動 抑制를
  위해 早期警報 및 監視 態勢를 강화하였음.

o 中.長期的으로 보면 東西和解 趨勢에도 불구, 이번 페灣 事態로 在來軍備에
  의한 地域 紛爭의 可能性이 立證되어, 地域 紛爭에 效果的으로 對應키
  위한 在來軍備 維持의 必要性을 인식, 美國의 海外 軍事力 駐屯 戰略
  再檢討 과정을 調整할 可能性이 있음.

0056

o 또한 유연를 통한 實効的 集團 制裁 措置 성공시, 北韓等 不法的 武力 使用
   潛在 勢力에 대한 警告 効果가 예상되며, 특히 消極的이지만 蘇聯과 中國의
   유연 制裁措置 同參내지 同意는 北韓의 警覺心을 일깨워 주는 효과가 예상됨.

0057

걸프戰 展望과 對策

I. 戰　　況

II. 展　　望

III. 걸프戰의 影響

IV. 外交的 對應策

- 2 -

1991. 1 . 23 .

美　洲　局

0058

目　　　次

I. 戰　　況 1

II. 展　　望 4

　　1. 美國의 戰略

　　2. 이라크의 戰略

　　3. 展　　望

III. 걸프戰의 影響 9

　　1. 我國에 미치는 影響

　　2. 中東情勢에 미치는 影響

　　3. 美國 國內政治에 미치는 影響

IV. 外交的 對應策 14

　　1. 對美 外交

　　2. 對中東 外交

　　3. 對유연 外交

0059

I. 戰 況

1. 槪 要

가. 多國籍軍 作戰 現況

  ○ 1.17. 09:00(韓國 時間) 開戰 이래 多國籍軍은 이라크, 쿠웨이트內
    軍事 目標에 대한 持續的 大規模 空襲 敢行(延12,000回 이상 出擊)

  ○ 1.19. 까지는 第1段階로서 이라크軍의 指揮, 統制, 通信, 情報 體系
    (C³I) 마비와 空軍力, 飛行場, 防空網 및 核.化學武器 製造 施設 破壞에
    重點

  ○ 1.20. 부터는 이라크 最精銳 ″共和國 守備隊″ 및 軍需, 兵站, 輸送網
    破壞에 重點을 두는 第2段階로 서서히 轉換

  ○ 현재 多國籍軍은 地上軍을 쿠웨이트 國境 附近에 集結시키는 中이며,
    第2段階의 戰術 目標가 충분히 達成되면 第3段階의 地上戰 開始 豫定

나. 이라크의 對應

ㅇ 이라크軍은 現在까지 간헐적 對應 外에 本格的인 反擊戰을 벌이지는 않고 있음.

ㅇ 다만, 이라크는 1.18. 이래 거의 매일 이스라엘, 사우디에 대한 Scud 미사일 攻擊을 敢行, 이스라엘의 걸프戰 參戰과 多國籍軍의 結束 弛緩, 美國等 西方圈內 反戰 與論 擴散등 心理戰에 主力中
  - 이라크側, 多國籍軍 포로들의 TV 會見 場面 방영 및 人間 防牌 使用 威脅 等으로 對西方 心理戰 展開

2. 雙方 被害 狀況(1.23. 現在)

가. 多國籍軍 被害 (多國籍軍 發表 綜合)

ㅇ 空軍機 22臺 喪失(조종사 1名 死亡, 23名 失踪)
  - 美14(5臺는 機械 고장 등으로 墜落), 英5, 이태리1, 쿠웨이트1, 사우디 1

※ 이라크側, 多國籍軍 27名 生捕 및 空軍機 160대 擊墜 主張

2

0061

나. 이라크 被害(多國籍軍 發表)

- 空軍機 17臺 擊墜

- 함정 5척 擊沈

- 捕虜 29名 (쿠웨이트 沿岸 原油 施設 守備隊 등)

* 이라크側, 多國籍軍 空襲으로 軍人 31명 死亡, 51명 負傷, 民間人
  41명 死亡, 191명 負傷 發表

```
┌─────────────── * 今番 戰爭의 特徵 ───────────────┐
│                                                    │
│  - 國際 秩序의 改編 過程에서의 戰爭                 │
│                                                    │
│  - 政治戰 및 軍事戰의 混合                          │
│                                                    │
│  - 유엔 歷史上 最大의 會員國 介入                   │
│    (28個國이 多國籍軍 參與)                         │
│                                                    │
│  - 最尖端의 科學技術에 의한 戰爭                    │
│                                                    │
│  - 冷戰 時代와 같은 美.蘇 代理戰 性格이 아님        │
│                                                    │
└────────────────────────────────────────────────────┘
```

3

0062

Ⅱ. 展 望

1. 美國의 戰略

가. 第1段階

o 戰略 目標(指揮.統制施設, 飛行場, 防空網, 核.化學.生物武器, 武器 및 燃料 貯藏庫, 미사일 基地)에 대한 爆擊을 통해 이라크의 戰爭 遂行 能力 除去

o 1.22. 現在 延 ~~10,000~~ 12,000 여回에 달하는 集中 爆擊으로 상당한 戰果를 거두었으나 이라크側에 決定的 打擊을 주지는 못한 것으로 評價

나. 第2段階

o 이라크 精銳 "共和國 守備隊"에 대한 攻擊, 補給路 遮斷등으로 聯合軍의 地上 作戰 遂行에 대한 抵抗 能力 除去

o 現在 第1段階와 더불어 12万名의 "共和國 守備隊" 弱化 및 쿠웨이트와 이라크와의 連結 遮斷을 위한 바스라 地域등에 대한 集中 砲擊도 竝行

4

0063

다. 第3段階

　　○ 地上 作戰 展開

　　　- 쿠웨이트로부터 이라크軍 撤收라는 多國籍軍의 目標 達成을 위해
　　　　불가피한 段階

2. 이라크의 戰略

가. 금번 戰爭을 政治戰 樣相으로 展開

　　○ 쿠웨이트와 팔레스타인 問題의 連繫

　　○ 이스라엘에 대한 아랍의 聖戰으로 擴大

　　　- 對 이스라엘 攻擊을 통한 이스라엘 參戰 誘導로 아랍 世界의 反유태
　　　　感情 觸發

나. 長期戰化

　　○ 戰爭 遂行이 어렵게 될 3月 以後까지 遲延 戰術

　　○ 美國內의 反戰 雰圍氣 誘發로 美國의 戰爭 계속 遂行 意志 弱化
　　　- 地上戰時 美軍의 人命損失 極大化
　　　- 多國籍軍 捕虜들의 人間 防牌化 威脅 등

ㅇ 多國籍軍의 團結 弛緩

ㅇ 西方 世界에서의 테러活動 積極化

3. 展　望

가. 多國籍軍, 1月末까지 最大限의 空中攻擊 敢行

　ㅇ 이라크軍의 移動 미사일 發射機 破壞(移動 미사일 發射機는 30-40개
　　있는 것으로 推定)

　ㅇ 攻擊 目標의 擴大

　　- 電氣, 水道등 一般市民 生活에 影響을 미치는 施設 破壞로 民心
　　　離叛을 통해 후세인 政權에 負擔 加重

　ㅇ 이라크의 戰爭遂行 能力 事實上 除去

나. 本格的인 쿠웨이트 奪還 作戰은 2月 初旬 實施 豫想

　ㅇ 1月末 까지의 大量 爆擊으로 쿠웨이트 地域의 地上兵力 破壞

　　- 이라크軍의 最精銳인 "共和國 守備隊" 궤멸 시도

　　- 이라크 本國과의 補給路 遮斷으로 枯死作戰

6

0065

다. 戰爭 終結 豫想 時期

　ㅇ 終戰 展望에 대해서는 대부분의 戰略 專門家들이 2-3個月內의 短期戰이
　　될 것으로 分析

　　　＊ 根　據

　　　　－ 武器, 戰略 側面에서 볼때 多國籍軍이 絶對的 優位
　　　　－ 美.蘇.中國 等 强大國은 물론 外部로부터 이라크에 대한 軍事 및
　　　　　財政的 支援이 없어서 戰爭 遂行 能力에 限界
　　　　－ 國際的 經濟制裁 措置로 인해 이라크의 經濟가 크게 打擊을 받아
　　　　　戰爭을 長期間 持續하는 데는 限界
　　　　－ 多國籍軍의 團結 鞏固 및 이스라엘 報復 自制
　　　　－ 國內政治 側面이나 經濟的으로 美國은 걸프 戰爭을 가능한 한
　　　　　早速히 終結시켜야 할 必要性 多大
　　　　－ 多國籍軍도 금번 戰爭을 中東地域의 특수한 氣候條件上 3月
　　　　　以前에 終結지어야 할 必要性

　ㅇ 다만, 이라크가 이스라엘과 사우디에 대한 Scud 미사일 攻擊을 계속
　　하는 등 抵抗 意志를 굽히지 않고 있음에 따라 금번 事態가 長期化될
　　可能性이 조심스럽게 대두

7

0066

* 根　據

- 이라크는 아직도 相當量의 移動 Scud 미사일과 生.化學戰 能力
  및 强力한 地上軍 戰力을 保有
- 이라크의 對이스라엘 攻擊이 계속되어 이라크에 대한 報復을 敢行할
  경우, 걸프 戰爭이 中東地域 全域으로 擴散될 可能性
- 美.英 등 西方 國家들이 大量 人命 被害를 우려해 地上戰 돌입에는
  매우 愼重
  · 地上戰時 兩側 犧牲者가 急增할 경우 聯合國側의 犧牲 감수 能力은
    이라크에 비해 훨씬 微弱

ㅇ 그러나 금번 戰爭은 多國籍軍의 壓倒的 軍事力 등을 감안할 때, 當初
豫想보다는 다소 長期化 될 것이나 베트남戰과 같은 長期 消耗戰은 되지
않을 것이 確實時.

8

0067

Ⅲ. 걸프戰의 影響

1. 我國에 미치는 影響

가. 安 保

ㅇ 短期的으로 우리나라의 防衛力에는 별다른 影響을 미치지 않을 것으로 判斷

    - 駐韓 美軍의 걸프 地域으로의 移動 配置 等 戰力의 減縮은 없음.

ㅇ 但, 걸프 戰爭 關聯, 韓半島에서의 有事時에 對備 必要

    - Team Spirit 訓鍊도 다소 規模는 縮小되나(약 30%), 基本 計劃대로 實施 豫定

ㅇ 이라크에 대한 國際社會의 응징이 成功的으로 이루어질 경우 우리의 安保에도 肯定的인 効果

    - 武力侵略 行爲는 결코 容納될 수 없다는 先例 確立, 北韓의 武力 赤化統一 路線 間接 抑制 効果

9

0068

나. 經濟

ㅇ 原油 供給

- 短期戰으로 끝날 경우 世界的 次元에서의 原油生産 및 供給에는 큰 蹉跌이 없을 것으로 展望

- 따라서, 우리나라에 대한 原油 供給에는 큰 支障이 없을 것으로 봄.

ㅇ 經濟 및 通商

- 우리나라의 경우, 中東地域에 대한 輸出商品 일시 船積中止 등으로 인한 損失 예상되나 短期戰으로 끝날 경우 今後 우리 經濟에 肯定的 效果 期待 可能

- 다만, 걸프戰이 長期化 될 경우, 株價下落, 需要 감퇴, 經濟成長 鈍化 등 不安 要因으로 作用할 것이며 이러한 世界經濟의 全般的인 下降 局面에 의하여 우리나라의 全體 輸出에 지장을 招來할 것으로 展望

10

0069

2. 中東 情勢에 미치는 影響

o 美國의 對中東 影響力 強化

  - 美國등 西方國家들은 石油資源의 安定的 確保를 위해 中東地域의 안보
    協力 體制 構築 및 美軍의 걸프地域 長期 駐屯 시도 可能性
  - 급변 事態로 蘇聯의 對中東 影響力 弱化

o 아랍地域 情勢의 流動性 增加

  - 이집트, 시리아, 사우디 및 이란 등의 影響力 增大
  - 中東地域內 각종 葛藤 構造(宗敎, 人種, 宗派, 理念), 특히 王政主義
    (親西方) 對 아랍 民族主義(反西方)間의 對立 尖銳化 豫想
  - 長期的으로 王政體制의 漸進的 崩壞 可能性

o 아랍 團結(Arab Solidarity) 退潮

  - 걸프事態 이후 아랍 世界는 3個의 陣營으로 분열
    1 反이라크 國家 : 이집트, 시리아, 모로코, 사우디등 걸프國家
    2 親이라크 國家 : 수단, 예멘, 모리타니아, 요르단, P.L.O.
    3 中立 國家 : 알제리, 튜니지아

o 美.이스라엘 關係 緊密化

  - 이라크의 미사일 攻擊에 대한 美側의 報復 自制 要請 수용
  - 따라서 이스라엘 占領地域內 팔레스타인 蜂起(Intifada) 등으로 다소
    소원했던 兩國關係 급격히 改善 展望

11   0070

ㅇ 팔레스타인 問題 解決을 위한 國際的 努力 强化

  - 팔레스타인 問題 解決 必要性에 대한 國際的 認識 提高로 戰後

    팔레스타인 問題 解決을 위한 國際的 努力 强化 豫想

  - 단, PLO 는 사우디 등의 財政支援 中斷으로 立地 弱化 豫想

12   0071

3. 美國 國內政治에 미치는 影響

　o 그간 美國에서는 民主黨은 물론, 共和黨 保守 勢力도 脫 冷戰에 따른 新
　　孤立主義를 主張하고, 軍事費 削減을 主張해온 바, 成功的인 걸프 政策
　　遂行으로 議會를 中心으로 한 政治圈의 雰圍氣가 反轉하고 있는 것으로
　　관찰

　o 특히 금번 美國의 武力 介入이 成功的으로 終了될 경우, Bush 大統領의
　　國內的 地位는 確固해 지고, 再選에도 매우 유리한 位置에 서게 될 展望

　o 그러나 걸프 戰爭은 아직 開戰 初期 段階이며 戰爭이 長期化되는 경우
　　Bush 大統領에 대한 支持度, 美 議會 및 輿論의 向背, 中東에 대한 美
　　行政府의 戰略的 目標 등이 얼마든지 變化될 수 있는 狀況
　　- Bush 大統領도 이러한 要素를 감안, 機會가 있을 때마다 지나친 樂觀에
　　　대한 警告

　o 이미 심각한 지경에 이른 美國의 財政 赤字에 追加하여 금번 戰爭에 所要
　　되는 막대한 軍事 經費로 인해 公共 財政은 물론 美國 經濟 全般에 否定的
　　影響을 미칠 것으로 展望됨.

13

0072

Ⅳ. 外交的 對應策

1. 對美 外交

　　ㅇ 美國의 追加 支援 要請時 적극 檢討

　　　- 美國의 戰費 負擔 增加에 따른 豫算 赤字 擴大, 中東復舊 支援과 關聯,
　　　　日本, 獨逸 等 富國과 我國에 대한 支援 要請이 크게 대두될 전망

　　　- 我國의 國益 保護 관점에서 積極的 能動的 對應策 檢討 必要

　　ㅇ 我國의 支援을 韓.美 協力關係, 특히 安保協力體制 强化 契機로 活用

　　　- 美國 行政府, 議會, 言論, 學界 등에 我國의 支援 內容을 적극 弘報함
　　　　으로써 我國이 美國의 確固한 友邦이라는 事實을 認識 시킴.
　　　　(日本, 獨逸을 "필요할 때만의 친구(fair weather ally)"라고 非難)

　　ㅇ 韓.美間 연대 浮刻 弘報를 통해 兩國間 通商 摩擦 緩和에 活用

　　　- 我國의 財政支援 및 醫療 支援團 派遣 적극 弘報

2. 對中東 外交

　　ㅇ 我國의 旣存 對中東 外交政策 基調 維持

　　　- 原油의 安定的 供給 確保

　　　- 建設 輸出市場의 重要性 등 감안 經濟 進出 强化

14

0073

o 아랍권 國家와의 兩者關係 强化

    - 특히 전후 中東政治 전면 부상이 豫想되는 이집트, 시리아 등 未修交國

      과의 關係 正常化 達成

    - 이라크와의 旣存關係 維持

o 팔레스타인 問題 解決을 위한 國際的 努力에 積極的 立場 表明

o 戰後 經濟 復舊事業에의 參與問題 檢討

3. 對 유연 外交

o 걸프戰 終結時 유연 平和維持軍 또는 休戰監視團 派遣등 유연의 役割이

    제고될 것에 對備, 我國의 유연 平和維持軍 活動 支援與否 및 寄與 方案

    등 檢討

o 걸프戰 長期化時 我國의 유연加入 實現이 遲延될 可能性에 對備, 我國의

    加入 當爲性을 周知시키는 外交的 努力 傾注

    - 安保理 常任 理事國 등과의 協議 繼續으로 關心度 維持

    - 我國의 유연을 통한 集團安保 措置 同參努力을 적절히 弘報　끝.

15

0074

주요 장비 재원

1991. 1. 25.
미주국 안보과

다국적군

가. 공 군

(지휘, 통제, 정찰기)

o E-3 Awacs(10대)   : 공중 지휘.통제, 적의 공중.지상 움직임 포착

o E-2C Hawkeye(20-30대) : 적기감시, 아군기와 지휘소간 정보통신

o 기타 E-8J STARS, OA-10, TR-1등 정보 정찰기

(전자 교란.공격기)

o EA-8B Prowler(약 30대)   : 적 레이다 및 통신 교란

o EF-111(약24대)   : 적 레이다 교란 및 아군기 엄호

o F-4G Wild Weasel (약24대) : 적 레이다 교란 및 파괴

나. 미사일 및 포

(전폭기)

o F14 A Tomcat(약100대)   : 원거리 항모.함대 방어용

o F15 E Eagle(약250대)   : 최고성능 정밀 전투.폭격기, 야간 공격에
                            적합

o F16 Falcon(약175대)   : 고도의 기동력, 기습 공격 및 요격용

o F18 Hornett(약220대)   : 합재기, 미해군 주력기, 저공 및 고공전투
                            능력 탁월

o F117 Stealth(44대)   : 레이다망 회피가능,대공화기, 통신시설등
                            정밀 폭격용

0075

o ⁵A10 Thunderbolt(약100대) : 저공비행, 대전차 공격용

o AV-8B Harrier(80대) : 수직 이착륙 함재기

o Tornado(약80대) : 영국 공군의 주력, 정찰·공중전·지상공격용

o Jaguar(36대) : 프랑스 공군 보유, 활주로 공격에 적합

o Mirage(30대) : 프랑스 공군의 주력기, 지상및 수상
                      목표물 공격

(폭격기)

o B 52(26대) : 미군 주력 폭격기, 대규모 고공 폭격 및 융단
                  폭격용

o F 111F(70대) : 장거리 폭격용, 야간 폭격에 적합 (터키지역
                   배치 추정)

o A6 Intruder(약100대) : 함재기, 적지 침투 공격용

(헬 기)

o AH-64A Apache : 고성능 전자장비 장착, 레이다 유도 대전차 공격용

                    Hell Fire 미사일 장착, 야간 공격 가능

나. 미사일 및 포

    o Tomahawk : 장거리 정밀 공격용 순항 미사일, 위스콘신
                   전함에서 발사

    o Patriot : 미사일 요격용 미사일

    o MLRS 다연장 로켓트포 : 12개 로켓트를 일시에 발사, 대규모 포격용

다. 탱 크

    o MI Abrams : 미군 최신예 탱크, 최고시속 80km, 4인 탑승, 무게 62톤,
                    120mm 주포 장착

0076

가. 공 군

(지휘, 통제, 정보기)

o IL-76 Mainstay (2대) : 공중 지휘, 통제

o 기타 MiG-21, MiG-25등

(전폭기)

o MiG-29 Fulcrum (30대) : 이라크 보유 최신예 전폭 및 요격기, 고도의
                            기동성, 레이다유도 공대공 미사일 장착
                            (미군의 F15와 기능유사)

o MiG-25 Fox Bat(25대) : 구형 전폭기

o MiG-23 Flogger(90대) : 공대지 미사일 장착

o MiG-21 Fishbed (150대) : 공중전, 지상공격, 엄호.정찰등 다기능 전폭기

o SU-25 Frogfoot (60대) : 엄호기

o SU-24 Fencer(16대) : 장거리 폭격용, 다양한 공대지 미사일 장착 가능
                         (미군의 F111과 기능유사)

o SU-20 Fitter-K (70대) : 지상공격용

o SU-7 Fitter-A (30대) : 구형, 지상공격용

o J-7(30대) : 중국제 MiG 21

o J-6 Farmer (30대) : 중국제 전투.지상공격 및 정찰용

o Mirage(미확인) : 프랑스제, 지상 및 수상 목표물 공격용

(폭격기)

o TU-22 Blinder (8대) : 소련제 초음속 폭격 및 정찰용

o TU-16 Badger (4대) : 소련제 중거리 폭격 및 해상정찰용

o Xian H-6D(4대) : 중국제 TU-16, 해상정찰 및 수상 목표물 공격용

(헬기)

o Mi-24(미확인) : 소련제 공격용헬기, 대전자 미사일 장착

0077

나. 미사일

(지대지 미사일)

o Scud B 미사일(약200개) : 소련제 이동식 탄도 미사일, 트럭에 탑재가능
사정거리 280km

o Al-Hussein (미확인) : Scud 미사일 개조, 사정거리 600km 로 연장,
화학탄 장착가능

o Al-Abbas (미확인) : Scud 미사일 개조, 사정거리 900km 로 연장,
사정거리 연장으로 정확도 저조

* Scud 미사일 발사대는 40기중 30기 잔류 추정

o Silkworm (미확인) : 사정거리 80km

o FROG 7(50기) : 단거리 이동식 탄도 미사일, 사정거리 70km,
이라크 보유 미사일중 최고의 정확도

(지대공 미사일 및 포)

o Roland 미사일(100기) : 불.독 합작생산, 저공 및 헬기 공격에 적합

o SA 2/14 미사일 (600기) : 소련제, 고도 정밀의 장거리 미사일, 고공
공격가능

o 개량형 Hawk : 미제, 쿠웨이트군으로부터 접수

o GC 155mm 장거리 자주포 : 사정거리 40km, 대전차 및 인마살상용

o 대공포

- ZSU-45P

- M - 1939

o 기타 약 3,500 문의 토우 및 자주포 보유, 이중 약 3,100 문이 쿠웨이트
전역에 배치

다. 탱크

o T72(미확인) : 이라크 탱크의 주력, 최고시속 80km, 3인승, 무게 41톤,
125mm 주포장착

0078

걸프지역 군사력 비교

1991. 1. 28.
미주국 안보과

o 공군력과 해군력은 장비와 병력면에 있어서 다국적군이 이라크에 비해 월등한 우위를 보이고 있으며, 장비의 성능과 작전능력을 종합 고려하면 다국적군이 절대적 우위를 점하고 있다고 볼 수 있음.

o 그러나 지상군에 있어서는 병력면에서 이라크가 우위를 보이고 있으며, 장비 면에서도 다국적군이 큰 우위를 점하고 있지 못함.

o 사막전에 예상되는 기후.지리적 장애와 다년간 사막전에 단련된 이라크 육군의 전투력과 이라크군이 구축한 견고한 방어진지나 참호등을 고려할때, 다국적군의 공군력과 해군력이 이라크 지상군의 활동을 제압하지 못할 경우, 지상전에서 많은 어려움이 예상됨.

0079

군사력 비교표

구 분		다국적군	이라크군	이스라엘군
총병력		65만(미군45만)	- 정규군: 100만 - 예비군: 85만	- 정규군: 14만 - 예비군: 50만
지 상 군	병력	43만 3천	95만 5천	10만 4천
	주요 부대	보병 사단: NA 기계화 사단 : NA 공정대 : NA 특수작전여단:NA 중포병 부대 : NA	보병사단 : 40 기계화 사단 : 7 공화국 수비대(약12만) - 보병사단 4, 기계화 사단3, 특전사단1 특수작전여단 : 20 SSM 여단 : 2	기계화 사단 : 3 기계화 보병 여단: 5 SSM 대대 : 1 포병 여단 : 2
	주요 장비	탱크:3,673 (미군:2,000) 장갑차:3,350 미사일 및 포 (지대지) - Tomahawk (미사일 요격) - Patriot (기타) - MLRS ; NA - TOW ; NA - 박격포 ; NA	탱크 : 4,000 장갑차 : 2,500 미사일 및 포 (지대지) - Scud B - Al Hussein - Al Abbas (지대공) - SA : 600 - Roland : 100 (기타) - GC 155mm : 2,700 - TOW : 3,000	탱크 : 3,794 장갑차 : 5,900 미사일 및 포 (지대지) - Lance : 12 - Jericho : 100 (기타) - MLRS : 1,400 - TOW : 579 - 박격포 : 816

0080

	병력	NA	5,000	9,000
해 군	주요 함정	항모전단: 7 전함 : 약140 - 미주리 - 위스콘신 - 블루릿지 수륙 양용함 : 20 기뢰 탐지함 : 10 소해정 : 4	프리깃 : 5 미사일함 : 8 소형 쾌속정 :6 어뢰정 : 8 기뢰정 : 8 수륙 양용함 : 6	잠수함 : 3 미사일함 : 26 수륙양용함 : 9 순찰함 : 37
	해 병	NA	없음	특공대 : 300
공 군	병 력	NA	4만	2만 8천
	총항공기	1,740(미군:1,300)	700	676
	주요기종	(지휘,통제,정찰기) E-3 Awacs : 10 E-2C Hawkeye : 30 (전폭기) F14 A : 100 F15 E : 250 F16 : 175 F18 : 220 F117 : 44 A 10 : 100 AV-8B Harrier : 80 Tornado : 80 Jaguar : 36 Mirage : 30 (헬 기) 총 : 1,157대 Apache, Cobra, Blank Hawk등	(지휘,통제,정찰기) IL-76 : 2 MiG 21, MiG25등 (전폭기) MiG-29 : 30 MiG-25 : 25 MiG-23 : 90 MiG-21 : 150 Su-25 : 60 Su-24 : 16 Su-20 : 70 Su-7 : 30 J-617 : 60 Mirage : 64 (헬 기) 총 : 160대 Mi-24, Bo-105등	(지휘,통제,정찰기) E-2C Hawkeye : 4 RF-4E : 14 ECM : 6 (전폭기) F4 E : 125 F15 : 47 F16 : 139 Kfir : 95 A-4H : 121 IAI-1124 : 5 (헬 기) 총 : 약100대 AH-IG, Hughes, HH-65A 등

0081

주요 장비의 성능

다국적군

가. 공 군

(지휘, 통제, 정찰기)

- o E-3 Awacs(10대)   : 공중 지휘.통제, 적의 공중.지상 움직임 포착

- o E-2C Hawkeye(20-30대) : 적기감시, 아군기와 지휘소간 정보통신

- o 기타 E-8J STARS, OA-10, TR-1등 정보 정찰기

(전자 교란.공격기)

- o EA-8B Prowler(약 30대)   : 적 레이다 및 통신 교란

- o EF-111(약 24대)   : 적 레이다 교란 및 아군기 엄호

- o F-4G Wild Weasel (약 24대) : 적 레이다 교란 및 파괴

나. 미사일 및 포

(전폭기)

- o F14 A Tomcat(약 100대) : 원거리 함모.함대 방어용

- o F15 E Eagle(약 250대)   : 최고성능 정밀 전투.폭격기, 야간 공격에
                               적합

- o F16 Falcon(약 175대)   : 고도의 기동력, 기습 공격 및 요격용

- o F18 Hornett(약 220대)   : 함재기, 미해군 주력기, 저공 및 고공전투
                               능력 탁월

- o F117 Stealth(44대)   : 레이다망 회피가능,대공화기, 통신시설등
                               정밀 폭격용

0082

o A10 Thunderbolt(약100대)   : 저공비행, 대전차 공격용

o AV-8B Harrier(80대)   : 수직 이착륙 함재기

o Tornado(약80대)   : 영국 공군의 주력, 정찰.공중전.지상공격용

o Jaguar(36대)   : 프랑스 공군 보유, 활주로 공격에 적합

o Mirage(30대)   : 프랑스 공군의 주력기, 지상및 수상
                                목표물 공격

(폭격기)

o B 52(26대)   : 미군 주력 폭격기, 대규모 고공 폭격 및 융단
                               폭격용

o F 111F(70대)   : 장거리 폭격용, 야간 폭격에 적합 (터키지역
                               배치 추정)

o A6 Intruder(약100대)   : 함재기, 적지 침투 공격용

(헬 기)

o AH-64A Apache   : 고성능 전자장비 장착, 레이다 유도 대전차 공격용

                               Hell Fire 미사일 장착, 야간 공격 가능

나. 미사일 및 포

    o Tomahawk   : 장거리 정밀 공격용 순항 미사일, 위스콘신
                          전함애서 발사

    o Patriot   : 미사일 요격용 미사일

    o MLRS 다연장 로켓트포 : 12개 로켓트를 일시에 발사, 대규모 포격용

다. 탱 크

    o MI Abrams : 미군 최신예 탱크, 최고시속 80km, 4인 탑승, 무게 62톤,
                    120mm 주포 장착

0083

가. 공 군

(지휘, 통제, 정보기)

o IL-76 Mainstay (2대) : 공중 지휘, 통제

o 기타 MiG-21, MiG-25등

(전폭기)

o MiG-29 Fulcrum (30대) : 이라크 보유 최신예 전폭 및 요격기, 고도의
                          기동성, 레이다유도 공대공 미사일 장착
                          (미군의 F15와 기능유사)

o MiG-25 Fox Bat(25대) : 구형 전폭기

o MiG-23 Flogger(90대) : 공대지 미사일 장착

o MiG-21 Fishbed (150대) : 공중전, 지상공격, 엄호·정찰등 다기능 전폭기

o SU-25 Frogfoot (60대) : 엄호기

o SU-24 Fencer(16대) : 장거리 폭격용, 다양한 공대지 미사일 장착 가능
                        (미군의 F111과 기능유사)

o SU-20 Fitter-K (70대) : 지상공격용

o SU-7 Fitter-A (30대) : 구형, 지상공격용

o J-7(30대) : 중국제 MiG 21

o J-6 Farmer (30대) : 중국제 전투·지상공격 및 정찰용

o Mirage(미확인) : 프랑스제, 지상 및 수상 목표물 공격용

(폭격기)

o TU-22 Blinder (8대) : 소련제 초음속 폭격 및 정찰용

o TU-16 Badger (4대) : 소련제 중거리 폭격 및 해상정찰용

o Xian H-6D(4대) : 중국제 TU-16, 해상정찰 및 수상 목표물 공격용

(헬 기)

o Mi-24(미확인) : 소련제 공격용헬기, 대전자 미사일 장착

0084

나. 미사일

(지대지 미사일)

o Scud B 미사일(약200개) : 소련제 이동식 탄도 미사일, 트럭에 탑재가능
                          사정거리 280km

o Al-Hussein (미확인)   : Scud 미사일 개조, 사정거리 600km 로 연장,
                          화학탄 장착가능

o Al-Abbas (미확인)   : Scud 미사일 개조, 사정거리 900km 로 연장,
                          사정거리 연장으로 정확도 저조

                          * Scud 미사일 발사대는 40기중 30기 잔류 추정

o Silkworm (미확인)   : 사정거리 80km

o FROG 7(50기)   : 단거리 이동식 탄도 미사일, 사정거리 70km,
                          이라크 보유 미사일중 최고의 정확도

(지대공 미사일 및 포)

o Roland 미사일(100기)   : 불.독 합작생산, 저공 및 헬기 공격에 적합

o SA 2/14 미사일 (600기) : 소련제, 고도 정밀의 장거리 미사일, 고공
                          공격가능

o 개량형 Hawk   : 미제, 쿠웨이트군으로부터 접수

o GC 155mm 장거리 자주포 : 사정거리 40km, 대전차 및 인마살상용

o 대공포

  - ZSU-45P

  - M - 1939

o 기타 약 3,500 문의 토우 및 자주포 보유, 이중 약 3,100 문이 쿠웨이트
  전역에 배치

다. 탱 크

o T72(미확인) : 이라크 탱크의 주력, 최고시속 80km, 3인승, 무게 41톤,
                125mm 주포장착

0085

日日報告 (32)

I. 전쟁관련사항

1. 이라크 비행기 이란 대피 배경
   (1.29. 주 바레인 대사, 이란대사 면담시 청취내용)
   ㅇ 이라크의 당초 자국 민항기 보호를 위한 이란대피 요청에 이란정부 수락
   ㅇ 대피비행기중 군용기 포함되어 있어 전쟁종결시까지 억류결정
   ※ 비행기수는 이란측은 11대, 미국측은 80대 이상으로 추정

2. 레바논에서 로케트탄 폭발
   ㅇ 레바논 남부 이스라엘 영향권(Security Zone)에서 30개의 로케트탄 폭발
   ㅇ 이스라엘, PLO 소행으로 보고 대 PLO 보복경고

3. 전황종합(1.29.현재)
   ㅇ 다국적군 발표
   - 전과 : 전투기 50대 격추, 함정8척 격침, 110명 생포
           쿠웨이트·이라크 접경지대 공습, 탱크 24대 격파(1.29)
   - 피해 : 비행기 24대 피격, 조종사 1명전사, 27명 실종
   ㅇ 이라크측 발표
   - 전과 : 전투기 및 미사일 278대 격추, 조종사 12명 생포
           이라크 지상군 사우디북부 15-20Km 진입, 공격후 귀환(1.29)
   - 피해 : 군인 39명전사, 민간인 123명 사망, 327명 부상

4. 전쟁지원 및 분담금
   ㅇ 독일정부 지원발표(1.29)
   - 55억불 추가지원 및 영국에 1.12억불 지원
   - 터키에 대공미사일 배치약속 및 이스라엘에 방어용군장비 지원검토
   ㅇ 전쟁개시후 분담금 현황
   - 사우디 135억불, 쿠웨이트 135억불, 일본 90억불, 독일55억불 (5배)

5. 불란서 국방장관 사임
   ㅇ "슈벤느망" 국방장관, 걸프전쟁 적극 개입반대, 1.29. 사임
   ㅇ "삐에르 죡스" 내무장관이 후임 국방장관에 취임

0086

Ⅱ. 걸프전 관련국 전략 및 향후전망

(불란서 학자들 분석내용)

1. 미·영 진영
   - 그간 공폭의 성과를 인정, 제공권 장악후 2-3주일후 지상전 결행 가능
   - 인명피해 적을경우 전쟁장기화가 국익에 유리하다고 판단, 강약공세를 병행하며 이라크의 탈진유도 전략
2. 이라크
   - 3월초 지상전 감행예상, 생화학무기는 미국의 중성자탄 보복명분을 주게 되므로 절박한 상황까지 유보가능
   - 아랍각국 국민의 지지를 얻었다고 판단, 국민들에 의한 각국 약체정부의 붕괴기대
3. 이스라엘
   - 이라크와 PLO의 패망 확신 및 전후 중동평화국제회의 대처방안 강구중
   - 점령지 팔레스타인인들을 요르단으로 이주시켜 독립국가 수립케할 전략 강구 및 현 후세인 국왕의 요르단체제 붕괴 예상
4. 이란
   - 국내 회교원리주의자 압력으로 인도주의적측면 대이라크 식량공급 계속
   - 이스라엘 참전시 및 기타상황시 대이라크 지원으로 방향선회 가능성
5. 중동평화국제회의
   - 미국, 이스라엘은 동 회의를 용두사미화시킬 전략모색
   - EC 측은 CSCE 방식도입 구상

Ⅲ. 각국의 외교동향

1. 유엔안보리
   - 마그레브 5개국 및 요르단의 안보리 공개소집요구 무산
2. 파키스탄
   - "샤리프"총리 중동순방후 1.29.귀국, 이슬람국가 외상회의 개최제의
     ※ 이란은 47개국 이슬람회의기구(OIC) 회의개최 제의
3. 요르단
   - 요르단외상 1.27-28 이란방문, 걸프전쟁 중지를 위한 상호협력 방안논의
4. 인도
   - 미공군수송기 중간기착 및 급유허용 발표(야당 및 이라크측은 강력항의)
5. 소련(고르바쵸프 대변인 언급)
   - 걸프사태 관련 중대발표 임박
   - 유엔결의는 존중되어야하나 민간인 희생이 정당화 될수는 없음.

0087

Ⅳ. 테러동향 및 반미데모

1. 터키
   ○ 항구도시 Izmir의 불란서 영사관 및 미·터키문화연맹 폭탄폭발
2. 그리스
   ○ 아테네 소재 BP 사무실에 대전차용 로케트탄 폭발
3. 레바논
   ○ 베이루트 소재 미국대학에 기관총 발사 사건발생
4. 불란서
   ○ 파리행 항공기에 이라크 승객 탑승금지 조치
5. 필리핀
   ○ 대규모 친이라크 반미데모 (1만명 추산)

Ⅴ. 기 타

1. 교민관계
   ○ 1.30.현재 변동사항 없음.
   ○ 제4차 특별기 2.5-6 파견 추진중
2. 사우디 전시 경제현황
   ○ 현황
     - 생필품 수급정상, 전시특수품호황, 외환 및 금융업 정상
     - 원자재, 전자제품, 난민용품은 재고부족으로 수요급등
     - 담만, 제다항구 및 제다국제선 정상 운항
   ○ 주 사우디 대사 건의사항
     - 아국업체의 선적 지원 지양하고 기존계약분 정상이행 요망
     - 기존 거래선과의 관계유지 및 조속 복귀대책 강구 필요
     - 전후시설 복구 및 물자수요급증에 대비한 수출확대방안 수립필요
3. 관계부처 특별회의
   ○ 일   시 : 1.30(수) 08:00
   ○ 장   소 : 정부종합청사 2층 국무위원식당
   ○ 참석범위 : 관계부처 차관급 (총리행조실장주재)
   ○ 안   건
     - 걸프사태 관련 추진상황 점검 및 평가
     - 향후 추진계획 협의

0088

걸프전 지원국의 GNP 대비 국방비 (1988년)

(아 시 아)

ㅇ 한 국 : 4.3%

ㅇ 일 본 : 1.0%

ㅇ 호 주 : 2.7%

ㅇ 인 도 네 시 아 : 1.8%

ㅇ 파 키 스 탄 : 6.9%

ㅇ 방 글 라 데 시 : NA

ㅇ 필 리 핀 : 1.7%

ㅇ 뉴 질 랜 드 : 2.2%

ㅇ 싱 가 폴 : 5.3%

(미 주)

ㅇ 미 국 : 6.3%

ㅇ 카 나 다 : 2.1%

ㅇ 아 르 헨 티 나 : 3.1%

(중 동)

ㅇ 사 우 디 아 라 비 아 : 16.5%

ㅇ 쿠 웨 이 트 : 5.1%

ㅇ 시 리 아 : 10.9%

ㅇ 이 집 트 : 7.8%

ㅇ 카 타 르 : NA

ㅇ U A E : 6.8%

0089

o 바 래 인 : 6.4%

o 오 만 : 19.1%

(아 프 리 카)

o 모 로 코 : 6.8%

o 세 네 갈 : 2.1%

o 니 제 르 : 0.9%

(유 럽)

o 영 국 : 4.3%

o 독 일 : 2.9%

o 프 랑 스 : 3.9%

o 이 탈 리 아 : 2.6%

o 스 페 인 : 2.2%

o 덴 마 크 : 2.2%

o 벨 지 움 : 2.7%

o 네 덜 란 드 : 3.0%

o 스 웨 덴 : 2.8%

o 터 키 : 3.9%

o 노 르 웨 이 : 3.2%

o 그 리 스 : 6.5%

o 체 코 : 7.1%

o 헝 가 리 : 6.3%

o 폴 란 드 : 8.7%

o 불 가 리 아 : 12.7%

※ 자료 출처 : World Military Expenditures and Arms Tranfers

1989

0090

I

```
┌──────────────────────────────────┐
│   걸프事態 關聯 業務推進 現況        │
│      및 向後 推進 計劃             │
└──────────────────────────────────┘
```

1991. 1. 29.

外務部 걸프事態 非常對策本部

0091

目　　　次

1. 걸프事態關聯 業務 推進狀況

   가. 非常勤務體制確立

   나. 戰爭 勃發後 外交的措置

   다. 僑民撤收 및 安全對策

   라. 對 테러 對策

   마. 弘　報

2. 向後 推進計劃

   가. 僑 民 撤 收

   나. 戰後 對中東 中長期 對策

0092

1. 걸프事態關聯 業務推進狀況

　가. 非常勤務體制確立

　　1) 非常對策本部 設置運營

　　　o 1.12 以後 外務部 非常對策本部 設置

　　　　24時間 非常勤務體制 突入

　　　o 在外公館 非常勤務體制 - 24時間 非常勤務토록 指示

　　　o 本部.在外公館間 非常通信網確立

　　　o 主要 公館을 통하여 戰況, 戰爭 展望 수집

　　　o 世界 原油, 原資材, 株式市場등 動向 把握

　　2) 關係部處 비상대책반과 協調體制

　　　o 總理狀況室 中心, 정부차원의 對策樹立

　　　o 事態 關聯 각종자료 작성배포등 業務 協調

　나. 戰爭 勃發後 外交的 措置

　　o 부쉬 美大統領 앞 대통령 親書 發送 (1.17)

　　o 政府 代辯人 聲明 發表(1.17)

　　※ 1.15. 쿠웨이트 撤軍 時限 經過後 외무부 대변인 聲明 發表

　다. 僑民撤收 및 安全對策

　　1) 僑民 撤收

　　　o 戰爭危險地域 僑民 現況 (91.1.5 현재.총 6,331명)

　　　　- 사우디 4,980, 이라크 96, 쿠웨이트 9, 요르단 66,

　　　　　카타르 82, 바레인 335, UAE 650, 이스라엘 113

0093

o 撤收現況 (91.1.29 현재.총 1,483명)

  - 大韓航空 特別機 3차 投入

    . 第1次 (1.14) 이라크, 요르단, 사우디, 바레인지역 301명

    . 第2次 (1.24) 사우디, 리야드, 젯다 교민 409명

    . 第3次 (1.24)   "   "   "   250명

  - 이스라엘 거주 교민 카이로 철수   53명

o 殘留 僑民 現況 (91.1.29 현재.총 4,822명)

  - 사우디 3,991, 이라크 14, 쿠웨이트 9, 요르단 20, 카타르 66,
    바레인 239, UAE 423, 이스라엘 60

2) 安全對策

o 防毒面 支給

  - 걸프지역 化學戰 對備 防毒面 및 化學裝備 총 7,269착 支給

  - 7개 公館員 및 家族, 個人 就業者등 2,232여개는 政府豫算
    에서 支給

  - 주재국 通關 便宜를 위하여 외교행랑편 送付

  - 業體 勤勞者用 防毒面 追加 送付

    1次 KAL 特別機便 2,320개
                              ] 5,037 개
    2次   "   2,771개

o 危險地域僑民 安全待避 (1.29. 현재)

  - 사우디 東.北部地域 僑民 1,121명중 857명 安全地帶로 待避

  - 이스라엘 危險地域으로부터 113명중 53명 카이로 待避

0094

o 第3國 待避위한 出入國 手續등 事前講究

   - 出國비자, 待避國家 入國 비자등

   - 空港閉鎖時 육로.해상 탈출 計劃 樹立

o 비상 식량, 방공시설등 待避 手段 講究

라. 對 테러 對策

o 在外公館에 入國비자 發給 審査 強化

o 駐韓 外交官 및 公館 警備 強化 및 국내 아랍인 체류자 動態 把握

   - 安企部, 治安本部등과 協調

o 法務部 出入國 管理 徹底

   - 특히 아랍국적 방한자

o 在外國民에 대한 身邊 安全 指針 下達

   - 소요지대 여행, 외출 자제 권유

마. 弘 報

o 外務長官 與.野 指導層 訪問 걸프사태 관련 政府 政策 說明

o 外務部 長官 정책자문위 報告

o 外務長官 외무통일위원회 걸프사태 관련 非公式 報告

o 外務長官 기자 간담회 및 일간지 논설위원 接觸

o 非常對策 本部長, 중앙, 매일경제등 인터뷰

o 中東阿局長, 국민일보, KBS, MBC등 인터뷰

0095

2. 向後 推進 計劃

　　가. 僑民 撤收

　　　o 4次 特別機 運航 檢討

　　　　- 걸프지역 希望 僑民數 把握

　　　　- 離.着陸 許可

　　　o 쿠웨이트 및 이라크내 殘留僑民 身邊安全 措置

　　　　- 撤收 또는 第3國 待避 勸諭

　　　　- KBS 國際放送, 멧신저 活用

　　나. 戰時 對中東 中長期 對策

　　　o 旣存 友邦 中東國과의 關係 深化

　　　　- 사우디를 비롯한 GCC國家와의 旣存 友好 關係 强化

　　　　- 招請 및 訪問 外交 積極推進

　　　o 팔레스타인 問題에 대한 肯定的, 積極的인 立場 表明

　　　　- 유엔 팔레스타인 獎學基金 寄與

　　　　- 問題 解決後 팔레스타인과의 積極的 關係維持

　　　o 未修交 아랍國과 關係改善

　　　　- 이집트, 시리아와의 修交 積極 推進

　　　o 이라크와의 종래 友好關係 維持

　　　　- 戰後 生必品.醫藥品等 無償支援

　　　　- 殘餘 建設 工事 再開 및 新築 工事 受注

　　　　- 이라크산 原油 政策 導入 檢討

0096

o 大統領 特使 中東 巡訪 推進

- 사우디, 이집트, 요르단, 쿠웨이트

- 이라크, 이란等

o 戰後 復舊 事業 參與

- 이라크, 쿠웨이트, 사우디, 이란等 戰後 復舊事業

- 中斷 工事 再開, 新規 受注

- 未收金 및 損失額 回收

o 經濟 協力擴大

- 貧困 아랍권에 대한 援助提供

(예 : 시리아, 이집트, 요르단, 예멘등)

o 原油의 安定的 供給 確保

- 長期 供給 契約線 確保

- 油田 合作開發

- 原油導入의 多邊化

73% 依存度를 소련, 중국, 동남아, 중남미로 分散

o 平和協力 基金 支援

- 中東平和 위한 基金 支援等

o 官民 經濟使節團 派遣

- 商工會議所, 貿易協會 代表等

0097

걸프 事態 特別 對策 實務 委員會
會 議 資 料

日 時 : 1991. 1. 30.(水) 08:00

場 所 : 政府綜合廳舍 國務委員食堂

外 務 部

0098

目 次

1. 걸프事態關聯 業務 推進狀況

   가. 非常勤務體制確立

   나. 戰爭 勃發後 外交的措置

   다. 僑民撤收 및 安全對策

   라. 對 테러 對策

   마. 弘 報

2. 向後 僑民撤收 推進 計劃

0099

1. 걸프事態關聯 業務推進狀況

   가. 非常勤務體制確立

      1) 非常對策本部 設置運營

         ㅇ 1.12 以後 外務部 非常對策本部 設置

            24時間 非常勤務體制 突入

         ㅇ 在外公館 非常勤務體制 - 24時間 非常勤務토록 指示

         ㅇ 本部·在外公館間 非常通信網確立

         ㅇ 主要 公館을 통하여 戰況, 戰爭 展望 수집

         ㅇ 世界 原油, 原資材, 株式市場등 動向 把握

      2) 關係部處 비상대책반과 協調體制

         ㅇ 總理狀況室 中心, 정부차원의 對策樹立

         ㅇ 事態 關聯 각종자료 작성배포등 業務 協調

   나. 戰爭 勃發後 外交的 措置

      ㅇ 부쉬 美大統領 앞 대통령 親書 發送 (1.17)

      ㅇ 政府 代辯人 聲明 發表(1.17)

      ※ 1.15. 쿠웨이트 撤軍 時限 經過後 외무부 대변인 聲明 發表

   다. 僑民撤收 및 安全對策

      1) 僑民 撤收

         ㅇ 戰爭危險地域 僑民 現況 (91.1.5 현재.총 6,331명)

            - 사우디 4,980, 이라크 96, 쿠웨이트 9, 요르단 66,

               카타르 82, 바레인 335, UAE 650, 이스라엘 113

0100

ο 撤收現況 (91.1.29 현재.총 1,483명)

- 大韓航空 特別機 3차 投入

  . 第1次 (1.14) 이라크, 요르단, 사우디, 바레인지역 301명

  . 第2次 (1.24) 사우디, 리야드, 젯다 교민 409명

  . 第3次 (1.24)   ″   ″   ″   250명

- 이스라엘 거주 교민 카이로 및 국외 철수   53명

ο 殘留 僑民 現況 (91.1.29 현재.총 4,822명)

- 사우디 3,991, 이라크 14, 쿠웨이트 9, 요르단 20, 카타르 66,
  바레인 239, UAE 423, 이스라엘 60

2) 安全對策

ο 防毒面 支給

- 걸프지역 化學戰 對備 防毒面 및 化學裝備 총 7,269착 支給

- 7개 公館員 및 家族, 個人 就業者등 2,232여개는 政府豫算
  에서 支給

- 주재국 通關 便宜를 위하여 외교행랑편 送付

- 業體 勤勞者用 防毒面 追加 送付

  1次 KAL 特別機便 2,320개 ⎤
                             ⎥ 5,037 개
  2次   ″   2,771개 ⎦

ο 危險地域僑民 安全待避 (1.29. 현재)

- 사우디 東.北部地域 僑民 1,121명중 857명 安全地帶로 待避

- 이스라엘 危險地域으로부터 113명중 53명 카이로 待避

0101

○ 第3國 待避위한 出入國 手續등 事前講究
　　- 出國비자, 待避國家 入國 비자등
　　- 空港閉鎖時 육로·해상 탈출 計劃 樹立
　○ 비상 식량, 방공시설등 待避 手段 講究

라. 對 테러 對策
　○ 在外公館에 入國비자 發給 審査 強化
　○ 駐韓 外交官 및 公館 警備 強化 및 국내 아랍인 체류자 動態 把握
　　- 安企部, 治安本部등과 協調
　○ 法務部 出入國 管理 徹底
　　- 특히 아랍국적 방한자
　○ 在外國民에 대한 身邊 安全 指針 下達
　　- 소요지대 여행, 외출 자제 권유

마. 弘 報
　○ 外務長官 與·野 指導層 訪問 걸프사태 관련 政府 政策 說明 (1. ㄴ ㄴ)
　○ 外務部 長官 정책자문위 報告 ( ). 15)
　○ 外務長官 외무통일위원회 걸프사태 관련 非公式 報告 (1. 2))
　○ 外務長官 기자 간담회 및 일간지 논설위원 接觸 (1. 14)
　　　　　　　　　　　　　　　　　　　　　 ㅈㄹ이ㅅ ㅈ
　○ 非常對策 本部長, 중앙, 매일경제등 인터뷰 (1. 16)
　○ 中東阿局長, 국민일보, KBS, MBC등 인터뷰
　　　　(1. 23)

0102

걸프戰爭 關聯 對美 追加支援에 따른 措置計劃

1991.1.29.

外　務　部

0103

1. 美國에 대한 通報

  가. 駐美 大使를 통한 通報 및 說明

    ᄋ 國務部 高位官吏에 政府 決定 內容 通報

    ᄋ 其他 下記 主要 人士에 대한 說明
      - 行政府 : 白堊館 및 國防部 高位官吏
      - 議 會 : 上.下院 外交委員長, 軍事委員長 等 重鎭 議員
      - 言 論 : New York Times, Washington Post, CNN 및 3大 主要
              放送社 等 言論機關

    ᄋ 通報 內容
      - 追加支援 規模 및 內容
      - 我國의 對蘇 經協 內容 詳細 및 이에 대한 美側의 誤解 可能性
        解消

  나. Gregg 駐韓 美國 大使에 대한 通報

    ᄋ 外務部 長官이 通報

- 1 -

0104

322 걸프 사태 대책 및 조치 3

2. 國會 및 政黨과의 協調

　　가. 國會, 政黨 指導級 人士에 대한 事前 說明(外務部 長官)

　　　　ㅇ 國 會 : 박준규 國會議長

　　　　　　　　　　박정수 外務統一 委員長

　　　　ㅇ 政 黨 :

　　　　　- 民自黨 : 김영삼 代表 最高委員

　　　　　　　　　　김종필 最高委員

　　　　　　　　　　박태준 最高委員

　　　　　- 平民黨 : 김대중 總裁

　　나. 黨.政 協議(外務部 長官, 國防部 長官)

　　　　ㅇ 政府 立場 公式 發表後 黨.政 協議 開催, 支援背景 等을 說明하고
　　　　　協調 要請

　　다. 說明 內容

　　　　ㅇ 追加支援의 必要性, 規模 決定時 考慮事項 等

　　　　ㅇ 對國民 說得 協調 當付

　　　　ㅇ 國會 同意 關聯 協調 要請

- 2 -

0105

3. 言論에 대한 弘報

  가. 6大 主要 日刊紙 및 放送社 論說委員

    ○ 朝鮮, 韓國, 서울, 東亞, 中央, 京鄕

    ○ KBS-TV, MBC-TV

    ○ 外務部 長官, 걸프事態 對策本部長(外務部 第2次官補), 美洲局長,
      中東아프리카局長 等 外務部 幹部가 發表 當日 아침 事前 通報 및 說明

  나. 外務部 出入 記者團

    ○ 外務部 長官이 公式 發表

      - 發表文(國.英文) 및 報道 參考資料 提供.

4. 걸프事態 財政支援 供與國 調整委 會議 參加

  ○ 91.2.5(火), 워싱턴

  ○ 外務部 次官 參席

    - 經濟企劃院, 財務部 等 關係官 參席

  ○ 우리 政府의 支援 規模, 內容 等을 說明하고 걸프事態에 관한 政府立場
    浮刻 弘報

  ○ 同 機會를 利用, 美 國務部, 國防部 等 高位官吏 接觸, 我國 立場 追加
    說明. 끝.

- 3 -

0106

걸프事態 特別對策實務委員會 開催 計劃

> 걸프戰爭 長期化에 對備, 部處別 特別對策 推進狀況을 点檢·評價하고
> 向後 2段階 推進對策方向에 관하여 協議코자 함

- 日　　時 : '91. 1. 29(火), 08:00

- 場　　所 : 國務委員 食堂(政府綜合廳舍 2層)

- 參　　席 : 行政調整室長(會議 主管)
  經濟企劃院·外務部·內務部·法務部·國防部·商工部·
  動力資源部·建設部·勞動部·交通部·總務處·公報處次官,
  서울市 副市長, 第1行政調整官, 第2行政調整官

- 會議案件

  〈 報告事項 〉
  - 걸프戰爭 槪況 및 特別對策 推進狀況(行政調整室)

  〈 協議事項 〉
  - 部處別 特別對策 推進狀況評價 및 2段階 推進方案(關係機關)
  . 2段階 特別對策 推進方案은 걸프戰爭이 1個月以內 終了될
    경우와 1個月以上 長期化될 경우로 區分 作成

> ※關係機關은 2段階 特別對策 推進方案 20部를 1.28(月),
>   12:00까지 걸프事態 特別對策委 綜合狀況室(TEL:723-1961~5)에
>   提出要望

長 官 報 告 事 項

1991. 1. 29.
中 近 東 課

題 目 : 關係部處 特別 對策 會議

걸프事態關聯, 關係部處 特別對策 實務委員會 開催會議 資料를 別添 報告

당부 소관사항 보고

합니다.

1. 會議 槪要

- o 日 時 : 1991.1.30.(水) 08:00
- o 場 所 : 國務委員 食堂 (綜合廳舍 2層)
- o 參席部處 : 國務總理 行政調整室長 主宰 會議

  경제기획원, 외무부, 내무부, 법무부, 국방부, 상공부,

  동자부, 건설부, 노동부, 교통부, 총무처, 공보처,

  서울시, 치안본부, 제1행정조정관, 제2행정조정관,

- o 당부참석 : 當部에서는 第次官補 參席 豫定임

  (비상대책 실무반장)

2. 討議 事項

- o 걸프戰爭 長期化에 對備, 關係 部處別 特別對策 推進 狀況을 點檢,

  評價하고 向後 2段階 推進對策 方向에 대하여 協議할 豫定임.

  <添附> 當部 會議 資料 1部.

0108

```
┌─────────────────────────────────────────┐
│       걸프 事態 特別 對策 實務 委員會        │
│                                           │
│               會議 資料                    │
└─────────────────────────────────────────┘
```

日 時 : 1991. 1. 30.(水) 08:00

場 所 : 政府綜合廳舍 國務委員食堂

外   務   部

目　　次

1.　걸프事態關聯　業務　推進狀況

　　가.　非常勤務體制確立

　　나.　戰爭　勃發後　外交的措置

　　다.　僑民撤收　및　安全對策

　　라.　對 테러 對策

　　마.　弘　報 ．

2.　向後　推進計劃

　　~~가.　追加支援　要請對應~~

　　가 <del>나</del>.　僑民撤收 <del>및 安全</del>

　　~~다.　對中東　中長期　對策~~

　　나　戰後　對中東　中長期對策

1. 걸프事態關聯 業務推進狀況

   가. 非常勤務體制確立

      1) 非常對策本部 設置運營

         ○ 1.12 以後 外務部 非常對策本部 設置

           24時間 非常勤務體制 突入

         ○ 在外公館 非常勤務體制 - 24時間 非常勤務토록 指示

         ○ 本部.在外公館間 非常通信網確立

      2) 關係部處 비상대책반과 協調體制

         ○ 總理狀況室 中心, 정부차원의 對策樹立

         ○ ~~行政部 非常對策本部~~ 事態 關聯 각종자료 작성배포등 業務 協調

   나. 戰爭 勃發後 外交的 措置

      ○ 부쉬 美大統領 앞 대통령 親書 發送 (1.17)

      ○ 政府 代辯人 聲明 發表(1.17)

      ※ 1.15. 쿠웨이트 撤軍 時限 經過後 외무부 대변인 聲明 發表

   다. 僑民撤收 및 安全對策

      1) 僑民 撤收

         ○ 戰爭危險地域 僑民 現況 (91.1.5 현재.총 6,331명)

           - 사우디 4,980, 이라크 96, 쿠웨이트 9, 요르단 66,

             카타르 82, 바레인 335, UAE 650, 이스라엘 113

         ○ 撤收現況 (91.1.29 현재.총 1,483명)

           - 大韓航空 特別機 3차 投入

             . 第1次 (1.14) 이라크, 요르단, 사우디, 바레인지역 301명

             . 第2次 (1.24) 사우디, 리야드, 젯다 교민 409명

             . 第3次 (1.24)   "   "   "   250명

           - 이스라엘 53명

         ○ 殘留 僑民 現況 (91.1.29 현재.총 4,822명)

           - 사우디 3,991, 이라크 14, 쿠웨이트 9, 요르단 20, 카타르 66,

             바레인 239, UAE 423, 이스라엘 60

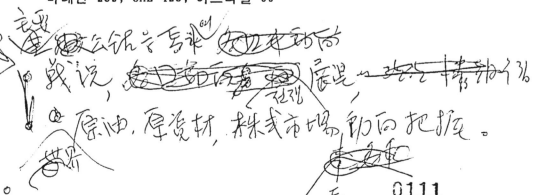

0111

2) 安全對策

o 防毒面 支給

- 걸프지역 化學戰 對備 防毒面 및 化學裝備 총 7,269착 支給
- 7개 公館員 및 家族, 個人 就業者등 2,232여개는 政府豫算
  에서 支給
- 주재국 通關 便宜를 위하여 외교행랑편 送付
- 業體 勤勞者用 防毒面 追加 送付

1次 KAL 特別機便 2,320개 ⎤
2次   〃   2,771개 ⎦ 5,037 개

o 危險地域僑民 安全待避 (1.29. 현재)

- 사우디 東.北部地域 僑民 1,121명중 850명 安全地帶로 待避
- 이스라엘 危險地域으로부터 113명중 58명 카이로 待避

o 第3國 待避위한 出入國 手續등 事前講究

- 出國비자, 待避國家 入國 비자등
- 空港閉鎖時 육로.해상 탈출 計劃 樹立

o 비상 식량, 방공시설등 待避 手段 講究

라. 對 테러 對策

o 在外公館에 入國비자 發給 審査 强化
o 駐韓 外交官 및 公館 警備 强化 및 국내 아랍인 체류자 動態 把握
- 安企部 治安本部등과 協調
o 法務部 出入國 管理 徹底
- 특히 아랍국적 방한자
o 在外國民에 대한 身邊 安全 指針 下達
- 소요지대 여행, 외출 자제 권유

마. 弘 報

o 外務長官 與野 指導層 訪問 걸프사태 관련 政府 政策 說明
o 外務部 長官 정책자문위 報告
o 外務長官 외무통일위원회 걸프사태 관련 非公式 報告
o 外務長官 기자 간담회 및 일간지 논설위원 接觸
o 非常對策 本部長, 중앙, 매일경제등 인터뷰
o 中東阿局長, 국민일보, KBS, MBC등 인터뷰

0112

2. 向後 推進 計劃

　가. 追加 支援 要請에 대한 對應

　　　ㅇ 韓.美 安保協力關係, 通商關係를 考慮 美側 要請을 적절한
　　　　수준에서 受容

　　　ㅇ 現金 支援을 最小化 하면서 醫療支援團의 規模를 擴大하여 支援하는
　　　　方案 檢討

　　　ㅇ 91 多國籍軍 支援 豫定額 2,500만불을 全額 美國에 支援하고
　　　　必要時 이에 追加하여 適正經費를 支援하는 方案 檢討

　　　　- 現金 또는 輸送 支援

　　나. 戰鬪兵力 派遣 要請에 대한 對應

　　　ㅇ 韓半島 安保狀況, 南.北韓 關係의 特殊性等을 내세워 受容不可
　　　　立場 堅持

　　　ㅇ 戰鬪兵力 派兵 要請에 따른 不可避한 境遇

　　　　- 醫療支援團 增員 派遣

　　　　- 整備, 輸送 등 分野의 非戰鬪 要員派遣 方案 檢討

　다. 僑民 追加 撤收

　　　ㅇ 4次 特別機 運航 檢討

　　　　- 걸프지역 希望 僑民數 把握

　　　　- 離.着陸 許可

　　　ㅇ 쿠웨이트 및 이라크내 殘留僑民 身邊安全 措置

　　　　- 撤收 또는 第3國 待避 勸諭

　　　　- KBS 國際放送, 멧신저 活用

　라. 向後 對中東 中長期 對策

　　　　政治.外交 側面

　　②ㅇ 팔레스타인 問題에 대한 肯定的, 積極的인 立場 表明

　　　ㅇ 유엔 팔레스타인 奬學基金 寄與

　　　ㅇ 問題 解決後 팔레스타인과의 積極的 關係維持

　①ㅇ 旣存 友邦 中東國과의 關係 深化

　　　ㅇ 사우디를 비롯한 GCC國家와의 旣存 友好 關係 强化

　　　ㅇ 招請 및 訪問 外交 積極推進

0113

④ ○ 이라크와의 종래 友好關係 維持
  - 戰後 生必品 . 醫藥品等 無償支援
  - 殘餘 建設 工事 再開 및 新築 工事 受注
  - 이라크산 原油 政策 導入 檢討

③ ○ 未修交 아랍國과 關係改善
  - 이집트, 시리아와의 修交 積極 推進
  - ~~무바라크 이집트 大統領 訪韓 招請~~
  - 아사드 시리아   "   "

④ ○ 아랍 Cause에 대한 ~~積極的 關心 表明~~
  - ~~아랍問題 發生時 適時 關心 表明~~
  - ~~팔레스타인~~ "獨立國家創設" 支持

① ○ 大統領 特使 中東 巡訪 추진
  - 사우디, 이집트, 요르단, 쿠웨이트
  - 이라크, ~~알제리, 예멘, 수단~~, 이란등

2) 經濟的 側面

⑦ ○ 經濟 協力 擴大
  - 貧困 아랍권에 대한 援助提供
    (예 : 시리아, 이집트, 요르단, 예멘등)

⑧ ○ 原油의 安定的 供給 確保
  - 長期 供給 契約線 確保
  油田 ~~遵得~~ 合作開發
  - 原油導入의 多邊化
    73% 依存度를 소련, 중국, 동남아, 중남미로 分散

○ 戰後 復舊 事業 參與
  - 이라크, 쿠웨이트, 사우디, 이란등 戰後 復舊事業
  - 中斷 工事 再開, 新規 受注

○ 未收金 및 損失額 回收
  ○ ~~建設市場의 廣域化 推進~~
    ~~中東 脫皮 建設 受注~~ (~~先進國 , 蘇聯 , 中國等~~)

⑨ ○ 平和協力 基金 支援
  - 中東平和 위한 基金 支援等

0114

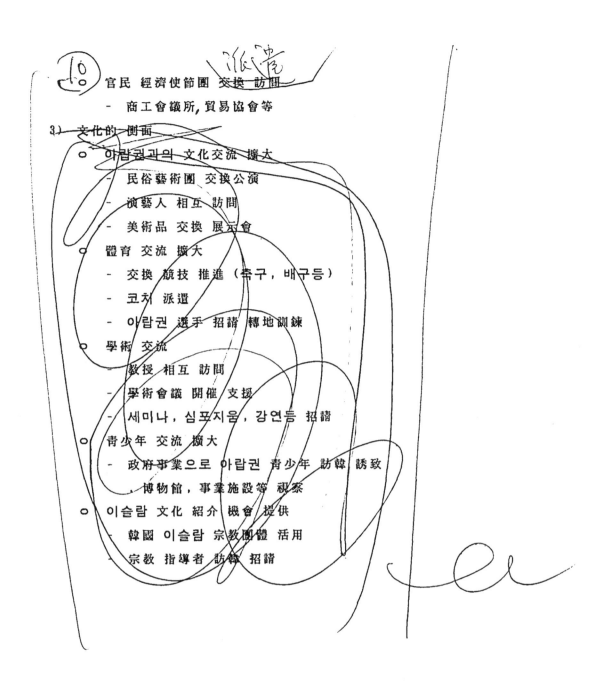

○ 官民 經濟使節團 交換 訪問
　　- 商工會議所, 貿易協會等

3) 文化的 側面
○ 아랍권과의 文化交流 擴大
　　- 民俗藝術團 交換公演
　　- 演藝人 相互 訪問
　　- 美術品 交換 展示會
○ 體育 交流 擴大
　　- 交換 競技 推進 (축구, 배구등)
　　- 코치 派遣
　　- 아랍권 選手 招請 轉地訓鍊
○ 學術 交流
　　- 敎授 相互 訪問
　　- 學術會議 開催 支援
　　- 세미나, 심포지움, 강연등 招請
○ 靑少年 交流 擴大
　　- 政府事業으로 아랍권 靑少年 訪韓 誘致
　　　博物館, 事業施設等 視察
○ 이슬람 文化 紹介 機會 提供
　　- 韓國 이슬람 宗敎團體 活用
　　- 宗敎 指導者 訪韓 招請

0115

長官報告事項

1991. 1. 29.
中東·아프리카局
마그레브 課(4)

題 目 : 駐韓 튀니지 大使 面談(걸프事態 關聯)

> 駐韓 튀니지 大使는 1.29. 이정빈 第1次官補를 訪問, 걸프事態의
> 平和的 解決을 위한 마그레브 國家들의 提議內容을 說明하고 이에대한
> 我國의 協調를 要望하여 왔는바 關聯事項 아래와 같이 報告합니다.

1. 面談日時 및 面談者

ㅇ 日 時 : 1991.1.29(水) 第1次官補室

ㅇ 面 談 : 이정빈 第1次官補

　　　　　　 Brahim Khelil 駐韓 튀니지 大使

2. 튀니지 大使 言及事項

ㅇ 걸프事態의 平和的 解決을 위해 마그레브아랍聯合國家들(튀니지,
리비아, 모로코, 알제리, 모리타니) 外相들이 最近(1.23) 트리폴리에
모여 戰鬪 即刻 中止와 當事者間 對話再開를 유엔安保理에 促求할
것을 決議하였음.

ㅇ 戰爭樣相은 쿠웨이트 恢復이라는 當初 目的을 넘어 무고한 民間人이
爆擊당하는 狀態에 이르렀으며 이라크는 絶對 降服하지 않을것으로
豫想되는바 無條件 戰鬪中止와 對話再開만이 平和를 가져올 것임.

앙끄지	마그레브課	담 당	과 장	심의관	국 장	차관보	차 관	장 관

0116

o 戰爭 終熄 努力은 아무리 늦더라도 않하는 것보다 나으며 일단
戰鬪行爲가 中止되면 후세인의 마음도 변할것이고 對話도 可能할
것인바 韓國도 이러한 平和的 解決을 위한 立場을 支持해주고 支援
해주길 바람.

3. 次官補 答辯內容

o 美國은 開戰前에 1.15.라는 時限을 정해놓고 많은 外交的 努力도
하고 이라크와 外相會談등 直接協商도 하였으나 끝내 이라크가
쿠웨이트로부터 撤收하지않아 전쟁이 발발하였는바 이라크로부터
바람직한 反應이 없는한 多國籍軍의 攻擊도 멈추기 힘들것으로
생각됨.

o 마그레브國家들 및 인도, 파키스탄등 여러國家들이 걸프戰爭 終熄을
위해 여러 妥協案을 提示하고 外交的인 努力을 하고 있는바 이러한
平和的 解決 努力이 結實을 맺어 이라크의 쿠웨이트 撤收등 早速한
事態解決이 이루어지기를 希望함.

4. 分 析

o 現 걸프事態의 平和的 解決에 我國도 協調해주기를 要望하는 親
이라크 아랍國家들의 外交活動의 始作으로 判斷됨. (具體的인 協調
要望事項은 擧論치 않음)

o 同 튀니지 大使는 2.1. 중동아국장도 面談하여 동일한 要請을 할
것으로 보임.

5. 對 策

o 우선 戰爭推移와 아랍側의 입장을 더 觀望한후 我側 立場을 정리함.

0117

長官報告事項

1991. 1. 29.
中東.아프리카局
마그레브 課(4)

題 目 : 駐韓 튀니지 大使 面談(걸프事態 關聯)

> 駐韓 튀니지 大使는 1.29. 이정빈 第1次官補를 訪問, 걸프事態의
> 平和的 解決을 위한 마그레브 國家들의 提議內容을 說明하고 이에대한
> 我國의 協調를 要望하여 왔는바 關係事項 아래와 같이 報告합니다.

1. 面談日時 및 面談者

o 日 時 : 1991.1.29(水) 第1次官補室

o 面 談 : 이정빈 第1次官補

　　　　Brahim Khelil 駐韓 튀니지 大使

2. 튀니지 大使 言及事項

o 걸프事態의 平和的 解決을 위해 마그레브아랍聯合國家들(튀니지,
　리비아, 모로코, 알제리, 모리타니) 外相들이 最近(1.23) 트리폴리에
　모여 戰鬪 卽刻 中止와 當事者間 對話再開를 유엔安保理에 促求할
　것을 決議하였음.

o 戰爭樣相은 쿠웨이트 恢復이라는 當初 目的을 넘어 무고한 民間人이
　爆擊당하는 狀態에 이르렀으며 이라크는 絶對 降服하지 않을것으로
　豫想되는바 無條件 戰鬪中止와 對話再開만이 平和를 가져올 것임.

0118

336 걸프 사태 대책 및 조치 3

○ 戰爭 終熄 努力은 아무리 늦더라도 않하는 것보다 나으며 일단
  戰鬪行爲가 中止되면 후세인의 마음도 변할것이고 對話도 可能할
  것인바 韓國도 이러한 平和的 解決을 위한 立場을 支持해주고 支援
  해주길 바람.

3. 次官補 答辯內容

○ 美國은 開戰前에 1.15.라는 時限을 정해놓고 많은 外交的 努力도
  하고 이라크와 外相會談등 直接協商도 하였으나 끝내 이라크가
  쿠웨이트로부터 撤收하지않아 전쟁이 발발하였는바 이라크로부터
  바람직한 反應이 없는한 多國籍軍의 攻擊도 멈추기 힘들것으로
  생각됨.

○ 마그레브國家들 및 인도, 파키스탄등 여러國家들이 걸프戰爭 終熄을
  위해 여러 妥協案을 提示하고 外交的인 努力을 하고 있는바 이러한
  平和的 解決 努力이 結實을 맺어 이라크의 쿠웨이트 撤收등 早速한
  事態解決이 이루어지기를 希望함.

4. 分 析

○ 現 걸프事態의 平和的 解決에 我國도 協調해주기를 要望하는 親
  이라크 아랍國家들의 外交活動의 始作으로 判斷됨. (具體的인 協調
  要望事項은 擧論치 않음)

○ 同 튀니지 大使는 2.1. 중동아국장도 面談하여 동일한 要請을 할
  것으로 보임.

5. 對 策

○ 우선 戰爭推移와 아랍側의 입장을 더 觀望한후 我側 立場을 정리함.

0119

면 담 록

일 시 : 1991.1.29. 11:00-11:30

장 소 : 외무부 제1차관보실

면 담 : 이정빈 제1차관보

Brahim Khelil 주한 튀니지 대사

배 석 : 신국호 마그레브과장

대 사 : 금번 걸프사태와 관련 최근 마그레브 아랍연합 국가들(튀니지,
리비아, 모로코, 알제리, 모리타니)외상들이 트리폴리에 모여
회합한 결과 걸프전쟁의 평화적인 해결을 위해 전투 즉각
중지와 당사자간 대화재개를 촉구하고저 유엔안보리에 Joint
demarche 하기로 결정하였음.

튀니지 정부는 동 전쟁의 위험성을 크게 우려하고 있는바,
전쟁의 양상은 쿠웨이트 회복을 위한 모든 평화적 조치를
다한다는 당초의 유엔결의 정신을 넘어 다국적군이 민간인을
폭격하는 상황에까지 이르렀음.

현상태에서는 아무리 폭격을 맞더라도 이라크는 절대 쿠웨이트
에서 철수하지 않을것으로 예상되며 대화재개만이 평화적
도움이 될것으로 생각하는바 한국도 이러한 입장을 지지하고
지원해주길 바람.

차관보 : 무조건적인 무력종식을 의미하는지?

　　　　미국과 이라크측에도 동 내용을 통보하였는지?

　　　　다른 아랍국의 입장은? 그리고 유엔안보리의 예상되는 반응은?

　　　　마그레브아랍연합의 그러한 공동조치에 대한 아랍권의 반응은?

대　사 : 무조건 전투행위 중단을 의미하며 아직 이라크에는 통보를
못했음. 또한 우리는 다른 비동맹국가들에게도 도움을
요청하고 있으며 전투행위의 중지는 평화적 해결을 가져올
것으로 생각함.

차관보 : 미국은 개전전에 안보결의를 통해 1.15.이라는 시한을 정해
놓고 많은 외교적 조치도 시도하고 이라크와의 직접 협상도
시도하였음. 그러나 이라크군의 쿠웨이트 철수는 실현되지
않고 제네바에서의 베이커- 아지즈 회담도 실패하여 전쟁이
발발한 것임. 이러한 상황하에서 개전이 되었는바 이라크로
부터 어떤 바람직한 반응이 없는한 다국적군의 공격은 멈추기
힘들것으로 생각됨.

0121

아랍권 일부가 다국적군에 참여하고 아랍권이 분열되어있는
상태에서 공동입장의 도출이 가능할수 있을런지?
평화적인 방법으로 사태가 해결된다면 가장 최선의 상태이며
어느누구도 재앙을 바라지 않고있음.

대 사 : 평화적인 해결책이 도출되도록 노력하는것이 중요하다고
생각함. 현전쟁은 매우 우려할만한 사태이며 전세계에 걸쳐
크나큰 악영향을 끼칠것임.

차관보 : PLO 의 입장은 어떠한지?

대 사 : PLO 는 친이라크적임. 그러나 어떠한 다른 해결책을 찾기위해
고심중임.

차관보 : 튀니지의 입장은?
이라크에 대해 쿠웨이트 철수를 요망했는지?

대 사 : 튀니지의 입장은 중립적이며 다국적군 뿐아니라 이미 이라크에
대해서도 쿠웨이트 철수를 요청해왔음.
전쟁종식을 위한 노력은 아무리 늦더라도 않하는것보다 나음.

차관보 : 모든것이 않하는것 보다는 시작하는 것이나음. 그런데
마그레브국가 및 인도등 여러국가들이 걸프전쟁 종식을 위해
여러 타협안을 제시하고 외교적인 노력을 하고 있으나 그결과는
예측하기 어렵지 않은가?

0122

대　사 : 전쟁은 어쨌든 언젠가 끝날것임. 튀니지는 걸프사태가 시작된
　　　　작년 8월이래 이라크의 쿠웨이트 철수를 요망해왔음. 또한
　　　　유엔, 아랍연맹, OAU의 제결의를 존중해왔으며 대이라크 금수
　　　　조치도 준수하고 있으며 항상 평화적 해결방안을 추구해왔음.

　　　　개전전과 개전후 관련국 지도자들의 마음은 변하게 되어
　　　　있으며 일단 전투행위가 중지되면 후세인의 마음도 변할것인바
　　　　따라서 대화는 가능하다봄.

　　　　또한 전쟁의 논리보다 평화의 논리가 우선되어야 하며 모든
　　　　나라들이 관찰만하고 있기보다는 평화를 위해 무엇인가 노력
　　　　해야함.

차관보 : 평화적 해결 노력이 결실을 맺어 조속 종전이 되기를 희망함.

0123

걸프戰 關聯 한국 정부의 追加 支援 決定

公式 發表

1991. 1. 30.
18:15

1. 政府는 지난해 8.2. 걸프 事態가 發生한 이래 武力에 의한 侵略은 容認될 수 없다는 國際 正義와 國際法 原則에 따라 유엔 安保 이사회 決議를 支持하고 이의 履行을 위한 國際的 努力을 支援하여 왔음. 이러한 立場에서 政府는 지난해 9.24. 多國籍軍 및 周邊國 經濟 支援을 위해 2億2千万弗의 支援을 發表한 바 있으며 또한 지난 1.24. 사우디에 軍 醫療 支援團을 派遣한 바 있음.

2. 그러나 유엔을 비롯한 全世界 平和 愛好國들의 努力에도 불구하고 지난 1.17. 걸프 戰爭이 勃發하여 中東 地域은 물론 全世界의 平和 및 安定에도 큰 威脅이 되고 있으며, 더우기 이번 戰爭이 예상보다 오래 계속될 조짐이 나타남에 따라 多國籍軍은 이에 따른 막대한 戰費와 財政 需要에 직면하게 되었음.

0124

3. 이에 따라 정부는 다음과 같은 추가 지원을 제공키로 결정하였음.

　o 追加 支援 規模는 2億8千万弗로함.

　　- 이중 1億7千万弗 相當은 國防部 在庫 軍需物資 및 裝備 提供으로 하고 나머지 1億1千万弗은 現金 및 輸送 支援으로 함.

　　　＊ 具體的 執行 用途 및 內譯은 韓.美 兩國間 協議를 거쳐 決定

　　- 今番 追加 支援은 多國籍軍 특히 美國을 위한 것이며 周邊國 經濟 支援은 不包含.

　　- 我國의 總 支援 規模는 今番 追加 支援으로 昨年 約束額 2億2千万弗을 包含, 總 5億弗이됨.

　o 上記 支援과는 別途로 국회의 동의를 받아 후방 수송 지원 목적을 위하여 軍 輸送機(C-130) 5대를 派遣키로 원칙적으로 결정하였으며, 이를 위한 기술적인 사항은 아국 國防部와 駐韓 美軍間에 협의 예정임.

0125

걸프戰 關聯 多國籍軍에 대한
追加 支援 決定 說明 資料

91. 1. 30.

外 務 部

1. 追加 支援 決定 背景

o 今番 걸프戰爭은 유엔 安保理의 決議에 立脚, 유엔 歷史上 最大의 會員國이
參與하고 있는 國際社會의 對이라크 膺懲戰인 바, 우리의 積極的 支援 및
參與는 우리의 國際 平和 維持 의지 과시등 國際的 位相 提高에 크게
기여

o 걸프戰爭으로 인한 450億弗 정도의 막대한 戰費 및 軍需 物資 需要 增加에
따라 國際的으로 多國籍軍에 대한 追加 支援 必要性 增大

o 日本 政府가 90億弗, 獨逸이 65億弗의 寄與金을 多國籍軍에 追加로 提供
하고 있고 國際的으로도 多國籍軍의 막대한 戰費를 國際社會가 分擔해야
된다는 與論이 일어나고 있음에 비추어, 我國으로서도 우리의 伸張된
國際的 地位等을 감안, 應分의 寄與를 할 필요가 있음.

- 1 -

0126

o 多國籍軍 活動에 參與 및 支援에 대한 美國 및 世界의 耳目이 集中되어 있어 追加 支援時 國際社會에서 우리의 發言權等 立地 强化에 效果가 클 것으로 期待됨.

   - 걸프 戰爭 終了後 各國의 支援에 대한 評價 效果 長期間 持續 豫想

   * 美國內 與論은 걸프 戰爭에 대해 81%라는 壓倒的인 支持 表明

2. 考慮 事項

① 安保的 考慮事項

o 이라크의 武力侵略을 단호히 응징하고자 하는 유엔을 中心으로한 國際社會의 努力을 적극 支援하므로써 韓半島의 有事時 國際社會의 共同 介入을 통한 平和 回復 期待 및 이라크에 대한 成功的인 膺懲時 韓半島에서 武力 挑發 可能性 豫防 效果 期待

o 韓.美 安保協力 關係 鞏固化

   - 能動的이고 自發的인 支援을 통하여 我國이 信賴할 수 있는 友邦이라는 認識을 美國 朝野에 提高시키므로써 韓.美 安保協力 關係는 물론 全般的인 韓.美 友好關係 强化에 寄與

   * 걸프戰 終了後 美國은 友邦國의 對美支援 實績을 통해 美國의 對友邦國 關係를 再評價하려는 움직임(현재 美國 議會 및 一般 與論은 日本, 獨逸을 "자기들이 필요할 때만 美國을 친구로 대하는 國家-fair weather ally-라고 批判)

0127

- 2 -

② 經濟 通商的 考慮 事項

○ 걸프戰 終了後, 安定된 原油 供給 確保 및 戰後 復舊事業 參與 等 對中東
 經濟 進出 基盤 마련

○ 걸프戰의 早速 終結을 위한 國際的인 努力을 支援하므로써 걸프事態가
 我國 經濟에 미치는 影響을 最小化 하는데 寄與
 - 事態가 長期化 되어 國際原油價가 上昇할 경우, 我國 經濟에 미치는
  影響 深大(原油價가 배럴당 10弗 上昇時 年33億弗 追加 負擔 發生)

③ 外交的 考慮 事項

○ 6.25 事變時 유연의 도움을 받은 國家로서 對이라크 共同制裁에
 관한 유연 決議에 적극 참여해야 할 道義的 의무 履行

○ 我國의 伸張된 國威에 副應하여 國際 平和 維持 努力에 一翼 담당
 - 我國의 支援이 微溫的일 경우, 經濟的 利益만 追求한다는 國際的
  非難 可能性 考慮
 - 追加 支援이 自發的인 것이므로 多國籍軍側이 어느정도 評價하는
  水準에서의 支援 必要

- 3 -   0128

ㅇ 걸프戰 終了後 對中東 外交 기반 強化 布石의 일환

  - 長期的인 觀點에서 사우디, 이집트, UAE 等 中東 友邦國들과의 關係
    增進을 위한 重要한 投資

      · 우리의 主要 原油 導入線이자 建設 輸出 市場이라는 점 및 其他
        經濟的 活動 餘地等을 감안

  - 戰後 樹立될 쿠웨이트, 이라크 兩國 政府와의 즉각적인 關係 強化
    基盤 마련

④ 支援 規模 關聯 考慮

  ㅇ 우리의 自發的 支援으로서 伸張된 國力에 알맞는 우리의 성숙한 모습을
    國際的으로 과시

  ㅇ 우리의 醫療支援團 派遣 等을 고려

  ㅇ 財政 支援 規模는 적정한 수준에서 검토

添 附 : 1. 多國籍軍 派遣 現況

      2. 各國의 支援 現況

          가. 經濟 支援

          나. 醫療 支援   끝.

- 4 -

0129

유종하 외무부차관 발표문

(총리주재 관계 부처 장관 대책회의 내용)

유엔 안보이사회 결의 661호와 관련한 "데 꾸에야르" 유엔사무총장의 요청을
받고, 정부는 8.9. 오후 총리 주재하에 관계 부처 장관 회의를 개최하였음.
이 회의에는 부총리,안기부(차장), 외무(차관), 재무, 국방, 상공, 동자,
건설, 노동, 교통부와 공보처 장관이 참석하였음.

이 회의에서 정부는 유엔 안보이사회 결의에 충분히 부응하는 조치가 필요
하다는 결정을 내리고 구체적으로 다음 분야에 있어서 즉시 조치를 취하기로
하였음.

    1.   이라크와 쿠웨이트 지역으로 부터 오는 원유 수입은 금지한다.

    2.   이 지역과의 상품교역도 의약품등 인도적인 소요에 해당하는
         물품을 제외하고는 수입과 수출을 공히 금지한다.
         유엔 결의에는 특히 무기 수출 금지를 요청하고 있는 바, 한국은
         무기를 수출한 적도 없고 앞으로도 수출하지 않는다.

    3.   이 양 지역에 있어서 건설 공사는 수주하지 않는다.

    4.   이라크와 쿠웨이트 정부 자산의 동결 요청에 대하여는 이러한
         자산이 한국내에는 없음을 확인한다.

이와 별도로 오늘 회의에서는 현지 근로자를 포함한 우리 진출 인원의 안전
대책을 세밀히 검토하였는 바, 현지와 긴밀히 연락하여 모든 가능한 안전
조치를 강구해 나가기로 하였음.

이러한 제재 조치의 이행과 현지 교민의 안전 대책을 위하여 외무부 權丙鉉
본부대사를 장으로 하고 관계 부처 국장으로 구성되는 대책반을 설치 금 8.9.
부터 운영키로 하였음. 끝.

0130

페르시아만 事態關聯 經費分擔에 관한 發表文

ㅇ 政府는 最近 페르시아만 事態와 關聯한 多國籍軍의 經費를 分擔하고, 對이라크 經濟制裁 措置로 인하여 被害를 입고 있는 國家들에 대한 經濟的 支援을 해 달라는 友邦國들의 要請을 接受하고, 이 問題를 檢討해 왔음.

ㅇ 政府는 國際社會에서 武力에 의한 不法的인 侵略行爲가 容認되어서는 안된다는 國際法과 國際正義에 立脚하여 UN 安保理의 對이라크 制裁 決議를 尊重하고, 我國의 신장된 國威에 副應하여 國際 平和 維持 努力에 一翼을 擔當해야 한다는 判斷下에 페르시아만의 秩序 回復을 위한 國際的 努力을 支援키로 決定하였음.

ㅇ 同 決定을 함에 있어서, 總原油需要의 75%를 中東으로부터 導入하는 우리나라 로서는 中東事態의 早速한 解決을 통한 原油의 自由로운 需給秩序 回復과 油價 安定이 貿易收支 및 物價安定 等 國益에 크게 도움이 된다는 점을 특히 考慮하였음.

ㅇ 政府는 多國籍軍의 經費로 航空機, 船舶等 輸送手段의 提供과 防毒面, 軍服 등의 現物 支援을 包含하여 1億2千万弗 範圍內에서 特別 支援키로 決定하였음.

0131

o 또한 今番 事態로 經濟的 被害를 입고 있는 周邊國(요르단, 터키, 이집트 等 3個 前線國家)에 대하여는 政府 保有米 30,000톤(1千万弗 相當)을 支援하고 開途國에 대한 長期 低利 借款인 對外 協力 基金(EDCF) 4千万弗 및 同 周邊國의 必要 現物等을 支援하며, 各國의 難民 輸送을 支援하기 위해 國際 移民機構(I.O.M.)에 대해서도 50万弗을 寄與할 豫定임. 이러한 支援은 總1億弗 範圍內에서 이루어질 것임.

o 이와 별도로 政府는 醫療團을 派遣할 것을 肯定的으로 檢討中이며, 具體的인 派遣 計劃은 關聯國과의 協議를 거쳐 決定할 것임.

o 이러한 支援規模 및 方法을 決定함에 있어서 政府는 他 友邦國들의 支援內容을 考慮하였으며, 現在의 어려운 國內 經濟狀況과 특히 最近 洪水 被害로 인한 財政負擔 等을 充分히 감안하였음.

o 政府는 페르시아만 事態 解決을 위한 國際的 努力이 結實을 맺어 이 地域의 平和와 安定이 早速 回復되기를 希望하는 바임.

0132

Statement
by
The Acting Foreign Minister Chong Ha Yoo
on
Costsharing in relation to Gulf Crisis

September 24, 1990

Ministry of Foreign Affairs

0133

o The Government of the Republic of Korea has received requests from friendly countries for favorable consideration to render financial and material support to multinational defense efforts and to countries whose economies are seriously affected by economic sanctions against Iraq.

o Upholding the international law and justice by which armed aggression should not be tolerated in the international society, the Korean government supports the United Nations Security Council resolutions including the one imposing economic sanctions against Iraq. As a member of the international community, we believe that we should bear a fair share in the international efforts to maintain world peace and stability, thus helping restore the order in the Gulf area.

o In making this decision, the Korean government has taken into consideration the fact that an early settlement of the Middle East crisis would ensure the smooth supply of oil and stabilization of its price as well as help maintain peace and stability in that region. As Korea is dependent 75% of the need on oil imported from the Middle East, the stabilized oil supply system will undoubtedly help Korean economy in her balance of trade.

0134

o The Korean government decided to support multinational defense efforts by providing air and maritime transportation facilities and services including in-kind contributions such as military uniforms and gas masks within the range of equivalent to 120 million U.S. dollars.

o In addition to the above-mentioned support, the Korean government will provide the front-line states such as Jordan, Turkey and Egypt whose economies are seriously affected by the imposition of economic sanctions with 30,000 tons of rice equivalent to 10 million U.S. dollars. We will also use 40 million U.S. dollars from the existing Economic Development Cooperation fund which provides loans of long-term and low-interest for third world countries. Also some goods such as the necessaries of life will be provided to the three front-line states. And another half million U.S. dollars will be contributed to the International Organization on Migration to assist in the refugee transportation effort in Gulf region. These economic assistance program will be within the range of 100 million U.S. dollars.

o Additionally, the Korean government is now considering favorably the dispatch of a medical team and the detailed plans will be worked out in consultation with the countries concerned

0135

o In determining the scale and method of support, the Korean government
   has fully taken into consideration the supports given by other friendly
   countries, the present domestic economic difficulties and particularly
   an imminent national budgetary and financial burden which we face due to
   the recent flood.

o The Korean government sincerely hopes that peace and stability in that
   area will be restored through the concerted international efforts for
   a peaceful settlement of the Gulf crisis.

0136

參 考 資 料

1. 支援 決定時 考慮事項

가. 安保 問題

º 武力에 의한 領土紛爭의 解決이 容認될 경우 將來 韓半島 安保環境에
큰 危害가 될 것인바, 韓半島의 有事時 國際社會의 共同 介入을 通한
平和 回復 期待 및 韓半島에서 武力 挑發 可能性 豫防 効果

º 韓.美 安保協力 關係 持續

- 駐韓 美軍 維持, 防衛費 分擔 問題 關聯 美 議會 및 言論의
批判 輿論 可能性 對備

나. 經濟 通商 側面 考慮

º 我國은 89年度 46億 8,553万弗 相當의 原油를 導入하였음. 原油의
순조로운 需給도 重要하거니와 中東事態로 인하여 油價가 不安定하게
되는 境遇 우리의 經濟에 주는 打擊은 莫甚하기 때문에 今番 國際的
努力으로 原油의 需給과 價格體系가 正常化되는 境遇, 油價 1弗 引下時
年間 原油 導入額에서 3億 3,000万弗이 節減되므로 예컨대 油價가
10弗 安定되면 33億弗이 節減되어 我國은 支援額을 크게 上廻하는 利益을
보게 됨.

0137

- 今年 上半期 平均 油價가 1배럴당 16.5弗이었으나 9.17現在
  30.89弗로 上昇
- 我國의 對中東 原油 依存度는 74%

○ 페르시아만 事態의 早速한 解決은 我國의 安定된 原油 供給 確保는
  물론 建設等 經濟進出에도 不可缺한 條件이며, 我國의 支援이 未洽할
  境遇 "페"만 事態 解決後 對中東 進出에 否定的 影響 憂慮.

다. 外交的 考慮

○ 6.26 事變時 유엔의 도움을 받은 我國으로서 對이라크 共同制裁에
  관한 유엔 決意에 적극 참여해야 할 道義的 의무가 있으며, 이는
  我國의 유엔 加入 政策과도 附合됨.

○ 我國의 신장된 國威에 副應하여 國際 平和 維持 努力에 一翼 擔當
  - 我國의 支援이 微溫的일 境遇, 經濟的 利益만 追求한다는 國際的
    非難 可能性 考慮

○ 長期的인 觀點에서 사우디, UAE 等 中東 友邦國들과의 共同步調 및
  周邊 被害國들과의 友好 關係 增進 圖謀

0138

라. 國內 經濟 狀況 考慮

 ○ 今年度 貿易 赤字等 經濟事情 惡化, 駐韓 美軍 防衛費 分擔

 ○ 특히 最近 大洪水로 約 6億弗 追加 財政 소요 等으로 過度한 支援 不可

2. 支援 內容의 特徵

 가. 兵力 또는 艦艇 派遣等 直接的인 軍事支援 排除

 나. 支援 形態를 現金 支援보다는 物資 및 써비스 中心으로 함으로써 我國
   經濟에 도움이 되는 方向으로 하였으며, 이중 相當部分은 旣存 借款
   基金을 活用하여 追加 財政 負擔을 줄였음.

添 附 : 1. 日本, 西獨과 我國의 國力 對比

    2. 各國의 支援 現況

0139

(添 附)

1. 日本, 西獨과 我國의 國力 對比

	韓 國	日 本	韓國對比	西 獨	韓國對比
支援 規模(億弗)	2	40	20 배	20.8	10 배
GNP (億弗)	2,101	28,337	13.5배	12,008	5.7 배
1인당 GNP(弗)	4,127 (88年)	23,317 (88年)	6 배	19,741 (88年)	5 배
交易 規模(億弗)	1,239	4,940	4 배	6,112	5 배
外換 保有(億弗)	152	851 (89.9)	5.5배	533 (88年)	3.5 배
經常 黑字(億弗)	51	568	11 배	555	11 배
中東原油導入 (億 배럴)	2.47	11.40		0.96	

0140

358 걸프 사태 대책 및 조치 3

2. 各國의 支援 現況 (90.9.20)

國 家	經濟的 支援	軍事的 支援
日 本	40億弗 　- 多國籍軍 20億	非戰鬪員 2,000名 派遣 檢討
西 獨	20.8億弗(33億 마르크) 　- 多國籍軍 10.1億弗 　- 前線國家 8億弗 　- EC 基金 2.6億弗	艦艇5隻 (掃海艇 4, 補給艦 1)
E C	20億弗 (分擔額 未合意)	
英 國	EC 次元 共同 步調	6,000名, 7隻, 40臺
불란서	〃	13,000名, 14隻, 100臺
이 태 리	1.45億弗(1次 算定額), 〃	艦艇5隻
벨 기 에	EC 次元 共同 步調	掃海艇2隻, 補給艦 1隻
네델란드	〃	프리깃艦 2隻
스 페 인	〃	艦艇3隻
폴투갈	〃	艦艇1隻
그 리 스	〃	艦艇1隻

0141

國 家	經濟的 支援	軍事的 支援
濠 洲	8百万弗(難民救護)	艦艇3隻, 醫療陣 20名
노르웨이	2,100万弗	
카 나 다	6,600万弗	艦艇3隻, 戰鬪機 中隊
G.C.C.國	사 우 디 : 60億弗 쿠웨이트 : 40億弗 U.A.E. : 20億弗	이집트 : 19,000名 모로코 : 1,200名 시리아 : 15,000名 GCC5국 : 10,000名
아시아國	臺 灣 : 2-3億弗	방글라데시 : 5,000名 파키스탄 : 5,000名 인도네시아 : (派兵 用意)

※ 美國 : 兵力 155,000名, 艦艇 48隻, 航空機 150臺

※ 蘇聯 : 戰艦 1隻, 對潛艦 1隻을 派遣하였으나 多國籍軍에는 不參

0142

유엔 안보리 철군 시한 경과후

외무부 대변인 성명

1991. 1. 16.

ㅇ 대한민국 정부는 유엔 안보리 결의가 설정한 철수 시한이 지났음에도 불구
하고 이라크 정부가 쿠웨이트에 불법 주둔중인 이라크군을 아직 철수치
않고 있음을 유감스럽게 생각한다.

ㅇ 우리 정부는 이라크 정부가 지금이라도 전세계 평화 애호인의 염원에 부응하여
유엔 안보리 결의가 요구하고 있는 바와 같이 쿠웨이트로부터 즉각 철군할
것을 거듭 촉구하는 바이다.

ㅇ 대한민국 정부는 이 기회를 빌어 페르시아만 지역에 파견된 다국적군의
헌신적인 평화유지 노력에 경의를 표하고 이를 높이 평가하는 바이다.

끝.

0143

Statement by the Spokesman of
the Ministry of Foreign Affairs

January 16, 1991

o It is with deep regret that Iraq has refused to comply with the deadline
   set by the U.N. Security Council Resolution for the withdrawal of its
   troops illegally occupying Kuwait.

o The Government of the Republic of Korea once again urges the Iraqi
   government to respect the aspiration of all the peace-loving people of
   the world and immediately withdraw its troops from Kuwait as demanded by
   the U.N. Security Council Resolution.

o The Government of the Republic of Korea takes this opportunity to express
   its deep respect and high tribute to the multinational forces deployed to
   the Gulf region for their dedicated efforts and sacrifice to safeguard peace
   and security.

0144

주 쿠웨이트 대사관 활동 잠정중단 관련 외무부 대변인 발표

대한민국 정부는 주 쿠웨이트 대사관의 활동을 잠정 중단하기로 결정 하였다. 이 조치는 현지사태 악화로 대사관의 기능 수행이 물리적으로 불가능하게 된 것으로 판단되어 취한 것이다.

소병용 대사와 공관원은 9.28 요르단 암만에 도착 하였다.

0145

THE GOVERNMENT OF THE REPUBLIC OF KOREA HAS DECIDED TO SUSPEND
TEMPORARILY THE FUNCTION OF THE EMBASSY OF THE REPUBLIC OF KOREA IN
KUWAIT.

THIS MEASURE HAS BEEN TAKEN IN CONSIDERATION OF THE DETERIORATED
SITUATION IN KUWAIT WHICH MADE THE EMBASSY UNABLE TO CONDUCT ITS NORMAL
FUNCTION.

AMBASSADOR BYUNG-YONG SOH AND THE STAFFS OF THE EMBASSY OF THE
REPUBLIC OF KOREA IN KUWAIT ARRIVED IN AMMAN ON SEPTEMBER 28, 1990

0146

주 쿠웨이트 대사관 잠정 업무 중단

1. 경   위

   ○ 이라크 정부는 8.8. 쿠웨이트 병합 발표후 쿠웨이트 주재 전 외국공관
     8.24한 폐쇄 요구

   ○ 유엔 안보리, 쿠웨이트 병합 무효 결의 662(8.9)

   ○ 아국정부, 유엔 안보리 결의 662 존중 방침 표명
     주 쿠웨이트 대사관 불폐쇄 입장 천명 (8.9. 외무차관 기자회견)

   ○ 이라크 정부, 8.24 이후 쿠웨이트내 모든 외교관에 대한 외교 특권 박탈

   ○ 이라크, 주 쿠웨이트 아국 공관에 대하여 8.27 부터 단전, 단수, 조치
     아국공관 비상 통신기 고장으로 통신 두절
     - 대사관, 우방국 공관 경유 보고

   ○ 정상근무 불가능 상태 판단, 공관원 신변안전을 우려, 9.2. 소병용 대사등
     공관원 전원 주 이라크 대사관으로 철수
     - 쿠웨이트 잔류 아국교민 3명에게 잠정 관리 위임

   ○ 소병용 대사등 주 쿠웨이트 공관원 출국을 위하여 이라크 정부와 교섭
     - 주 이라크 대사관 9회 이라크 당국과 접촉
     - 9.11. 주한 이라크 대사대리 외무부 초치,
     - Ghazal 대사대리로 하여금 본국 정부에 본건 청훈토록 강력 요청

   ○ 이라크 정부, 소병용 대사등 주 쿠웨이트 대사관 공관원 3명 전원 출국 승인

   ○ 동 일행 9.27. 12:00(한국시간) 바그다드에서 육로편 요르단 향발, 9.28
     01:00(한국시간) 암만 도착

2. 주 쿠웨이트 대사관 잠정 업무 중단 관련 정부 입장 (기자 질문시 언급)

   ○ 동 조치와 관련, 이라크의 쿠웨이트 병합을 무효로 규정한 유엔 안보리
     이사회 결의(662, 8.9)를 준수하는 대한민국 정부의 기본 입장에 아무런
     변동이 없음을 밝힘

0147

이라크 . 쿠웨이트 사태에 관한
외무부 대변인 성명

1. 대한민국 정부는 이라크 군대에 의한 쿠웨이트 영토내에서의 군사적 행동과 관련한 걸프 지역내의 사태 진전에 깊은 우려를 표명한다.

2. 대한민국은 이라크 및 쿠웨이트와 다같이 우호적 관계를 유지하고 있는바, 양국간의 분쟁이 무력이 아닌 평화적 방법으로 해결되기를 강력히 희망한다.

3. 또한 대한민국 정부는 이라크군이 가능한 한 조속히 쿠웨이트 영토로 부터 철수하기를 바란다.

Statement by Foreign Ministry Spokesman
R.O.K. Government

The Government of the Republic of Korea is deeply concerned over the developments of situation in the Gulf area involving military action by the Iraqi troops into the Kuwaiti territory.

Both Iraq and Kuwait are friendly countries of the Republic of Korea and the Korean Government strongly wishes that the disputes existing between the two countries will be resolved not by force, but through peaceful means.

The Government of the Republic of Korea wishes that the Iraqi forces be withdrawn from the Kuwaiti territory as soon as possible.

0149

Statement by Foreign Ministry Spokesman
R.O.K. Government

The Government of the Republic of Korea is deeply concerned over the developments of situation in the Gulf area involving military action by the Iraqi troops into the Kuwaiti territory.

Both Iraq and Kuwait are friendly countries of the Republic of Korea and the Korean Government strongly wishes that the disputes existing between the two countries will be resolved not by force, but through peaceful means.

The Government of the Republic of Korea wishes that the Iraqi forces be withdrawn from the Kuwaiti territory as soon as possible.

0150

COMMENTS BY VICE FOREIGN MINISTER YOO CHONG-HA
(AT a PRESS BRIEFING at 10:00 A.M., AUG. 9. 1990)

The Republic of Korea supports the U.N. Security Council Resolution
No. 661, regarding economic sanctions against Iraq.
An inter-ministerial meeting for implementation of this resolution
will take place in the afternoon of August 9.

We have already demanded the immediate withdrawal of Iraqi troops
from Kuwaiti territory, and we reemphasize this position.

(To a question)   The Government of the Republic of Korea makes it
clear that the annexation of Kuwait by Iraq is unacceptable.

0151

페만사태 관련 안보리 결의

결의안 표결일자	결 의 주 요 내 용	표결결과 (찬:반:기권)	결의번호
90.8.2.	○ 이락의 쿠웨이트 침공 규탄 및 이락군의 무조건 철수 촉구	14:0:0	660 (1990)
8.6.	○ 이락에 대한 광범위한 경제제재 조치 결정 - 안보이사회내에 제재위원회 설치 - 유엔비회원국 포함 모든국가의 661호 이행 촉구	13:0:2 (쿠바,예멘)	661
8.9.	○ 이락의 쿠웨이트 합병 무효 간주 ○ 쿠웨이트 신정부 승인 금지	15:0:0	662
8.18.	○ 이락, 쿠웨이트내 제3국민들의 즉각 출국허용 요구 ○ 외국 공관폐쇄 철회 요구	15:6:0	664
8.25.	○ 결의 661호 위반 선박에 대한 조치 권한 부여	13:0:2	665
9.13.	○ 인도적 목적의 대이락 식품 수출 제한적 승인	13:0:2	665
9.16.	○ 쿠웨이트주재 외국공관 침입 비난 ○ 외국공관원 즉시 석방 및 보호 요구	15:0:0	667
9.24.	○ 대이락 제재조치에 따른 피해국 지원	15:0:0	669
9.25.	○ 모든국가의 이락 및 쿠웨이트내 공항 이착륙 및 영공통과 불허 (인도적 식품 및 의약품운송 제외) ○ 모든국가에 의한 이락 국적선박 억류 허용	14:1:0 (쿠바)	670
10.29.	○ 이락의 쿠웨이트 침공으로 인한 전쟁피해 및 재정적 손실에 대한 이락의 책임 규정 및 추궁	13:0:2 (쿠바,예멘)	674
11.28.	○ 이락에 의한 쿠웨이트국민의 국적 말소기도 비난 ○ 쿠웨이트 인구센서스 기록의 유엔내 보존	미확인	677
11.29.	○ 이락이 91.1.15한 상기 안보리 제결의를 이행치 않을 경우, 유엔 회원국에게 필요한 모든조치를 취할 수 있도록 허용	12:2:1 (쿠바,예멘) (중국)	678

0152

	분류번호	보존기간

발 신 전 보

AM-0029   910130 2346   DP

빈   호 : _____   종별 :

WHG-133   WNM-72
WPD-127   WSV-303
WYG-117   WCZ-88
WAG-41   WIRL-73
WRM-97   WMG-50

수   신 : 주 전재외 공관장   대사.총영사

발   신 : 장 관   (미북)

제   목 : 대미 추가 지원 발표관련 테러 활동 대처

연 : AM-12,

1. 연호 정부의 추가 지원이 발표되고 아국이 특히 군 수송기를 지원키로
결정함에 따라 ~~본부로서는~~ 일부 친이라크 테러 단체에 의한 대 아국민 및 시설등에
대한 테러 가능성이 있을 것으로 우려됨.

2. 따라서 귀관은 본부에서 연호로 이미 지시한 바에 따라 주재국 당국과의
긴밀한 협조하에 필요한 대비책을 강구하기 바람.

3. 또한 아국의 추가 지원에 대한 귀주재국 정부 및 언론등 반응이 있으면
수시 보고바람.   끝.

일반문서로 재분류(1991.12.5)

검토필 (1991. 6. 30.)

(장 관)

예 고 : 91.12.31.일반

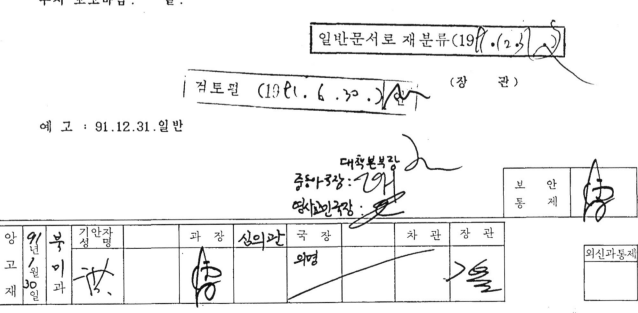

대책본부장
중동아2과장 :
영사교민국장 :

| | 보 안 통 제 | |

앙고재	91년 1월 30일	북미과	기안자 성명		과 장	심의관	국 장 외명		차 관	장 관		외신과통제

「걸프」戰爭이
經濟에미치는影響과對應方案

1991. 1. 30

經 濟 企 劃 院

0154

目　　　次

1. 戰爭勃發以後　國內外經濟動向 ······································ 2

　가. 世界經濟動向 ·· 2

　나. 國內經濟動向 ·· 3

2. 向後　戰爭狀況과　油價展望 ·· 5

3. 國內外經濟에　미치는　影響 ·· 6

　가. 사우디등의　油田被害가　크지　않을　경우(狀況Ⅰ,Ⅱ) ········ 6

　나. 戰爭이　長期化　되고　油田被害가　클　경우(狀況Ⅲ) ·········· 7

4. 向後　對應方案 ·· 8

　가. 現　狀況에서　推進해야할　事項 ································ 8

　나. 油田被害擴大로　油價急騰時　對應方案(狀況Ⅲ) ··············· 12

1. 戰爭勃發以後 國內外經濟動向

> ― 當初에는 戰爭이 勃發하면 國際油價가 急騰하고, 하루 50萬
> 배럴이상의 原油導入 蹉跌이 發生할 것으로 豫想했으나,
> ― 戰爭勃發以後 國際油價는 暴落하였고 現在까지 中東地域으로
> 부터의 原油導入도 순조롭게 이루어지고 있음.

가. 世界經濟動向

― 國際油價는 戰爭勃發과 동시에 10弗가량 暴落하였다가 戰爭 長期化 可能性으로 지난주 초에는 약간 상승하였으나 다시 下落勢를 보여 **1月 28月現在 Dubai油는 16弗水準** 維持

― **뉴욕 및 東京株價**는 戰爭直前에 비해 각각 **5.8%, 5.2% 上昇**한 반면 國際金時勢는 **6.1% 下落**

― **國際金利**는 戰爭勃發이후 지속적인 **下落勢**

― 엔貨는 戰爭以後 強勢 지속

	90.12月	91.1.16(A)	1.17	1.25	1.28(B)	B-A
DUBAI油($/B)	23.19	25.33	15.50	16.05	15.92	△9.41
BRENT油($/B)	28.16	30.23	19.30	20.50	23.39	△9.84
뉴욕株價(D/J)	2,634¹⌋	2,509	2,624	2,659	2,654	145p
東京株價(NIKKEI)	23,849¹⌋	22,403	23,447	23,573	23,569	1,166p
뉴욕金時勢($/온스)	390.0¹⌋	402.8	374.9	376.3	378.1	△24.7
LIBOR(%)	7.56¹⌋	7.56	7.44	7.06	7.06	△0.50p
¥/$	133.77	135.73	136.83	132.35	132.55	△3.18

註 : 1⌋ 12月末 基準

― 2 ―

나. 國內經濟動向

— 原油船積은 금년들어 1月 27日까지 24百萬배럴을 나타내어 순조롭게 이행되고 있음.

— 油類販賣量을 보면 燈油와 輕油는 戰爭可能性이 고조된 **1月 10日경부터** 販賣量이 크게 늘어났으며, **B-C油**는 戰爭勃發後 販賣量이 增加

　ㅇ 그러나 24日부터는 모든 油種의 販賣量이 정상화되기 시작

(日平均販賣量, 千B/D)

	90.1月	90.12月	91.1.1 ～16	91.1.17 ～23	91.1.24 ～26
燈　　油	117	105	149	154	116
輕　　油	264	332	344	428	370
B—C　油	302	322	329	367	253

— 戰爭勃發以後 **主要生必品價格**은 農畜水産物을 中心으로 계절적 요인에 따른 **上昇勢**를 나타냄.

　ㅇ 특히 밀감, 고등어, 명태, 사과등의 上昇幅이 큼

— **株價**는 戰爭直後 단기전에 대한 기대감 고조등으로 **일시 急騰** 하였으나 戰爭이 長期化될 가능성이 커지고 短期利殖賣物이 출회되면서 **다시 下落勢**를 보임.

-3-

○ 金時勢는 戰爭勃發直後 心理的 要因으로 **일시 暴騰**하였으나 최근에는 戰爭以前 水準보다 더 下落

	90.12.月末	91.1.16(A)	1.17	1.26	1.28 (B)	B－A
株 價 指 數	696.11	613.34	641.41	632.20	633.93	20.59 p
金 時 勢 (원／돈)	39,500	41,000	47,000	37,500	37,500	△3,500

― 1月 1日～26日중 **輸出**은 작년의 설날(27日) 連休에 對備한 밀어내기 輸出로 인한 相對的 影響으로 **前年同期보다 1.3％** 增加에 그쳤으며, **輸入**은 原油導入價格 上昇등으로 **26.8％ 增加**하였음

○ 또한 **L/C來到額**은 1月 15日까지는 前年同期에 비해 9.5％ 늘어났으나 戰爭勃發以後 크게 줄어들어 **1月 16日～20日 期間** 中에는 前年同期에 比해 **22.7％** 減少하였고 동기간중 **I/L** 發給額은 **96.3％**나 增加하였음.

	單 位	90.12.1 ～24	91.1.16	1.17	1.25	1.26	91 累計
輸 出 (增減率)	百萬$ (%)	4,519 (14.1)	158	161	243	176	3,316 (1.3)
輸 入 (增減率)	百萬$ (%)	4,957 (18.1)	256	364	310	176	5,242 (26.8)

	單 位	1.1～1.15	1.16～1.20	1.1～1.20
L ／ C (增減率)	百 萬 $ (%)	1,847 (9.5)	583 (△22.7)	2,430 (△0.5)
I ／ L (增減率)	百 萬 $ (%)	2,283 (30.3)	1,622 (96.3)	3,905 (51.5)

－4－

0158

2. 向後 戰爭狀況과 油價展望

- 戰爭이 2週이내의 초단기전으로 끝날 可能性은 稀薄해졌으며, 당초 예상과는 달리 戰爭直後부터 國際油價는 배럴당 $20 이하 水準에서 安定勢를 나타내고 있음.

- 向後 世界石油需給 및 油價는 **戰爭期間의 長短期보다는** 사우디 등의 **油田被害정도**에 더 크게 左右될 것이나, 競爭期間에 따라 國際資金需給 및 貿易등에 미치는 影響은 달라질 것임.

- 現在까지의 狀況을 토대로 앞으로 豫想되는 事態展開의 推移와 油價展望을 다음과 같이 想定할 수 있음.

  ○ 戰爭이 **1個月內外의 短期戰**으로 끝나고 사우디등의 油田被害가 輕微할 경우(狀況 I)

  ⇨ 年平均油價(OPEC平均基準) $20 未滿水準 豫想

  ○ 戰爭이 **2~3個月** 지속되나 사우디등의 油田被害가 輕微할 경우(狀況 II)

  ⇨ 年平均油價 $20~$25 水準 豫想

  ○ 戰爭이 **3個月 以上 長期化**되고 사우디등의 油田被害가 클 경우(狀況 III)

  ⇨ 油價는 戰爭期間中 $50~$60, 戰後 復舊期間(5個月) 중에는 $30~$40, 復舊가 完了된 後에는 $20을 약간 상회하는 水準 豫想(年平均油價 $40 水準)

-5-

0159

3. 國內外 經濟에 미치는 影響

가. 사우디등의 油田被害가 크지 않을 경우 (狀況 I, II)

〈世界經濟〉

— 年平均油價는 當初의 展望($23~$25)과 비슷하거나 그보다 낮은 水準으로 豫想되므로 油價側面에서 物價나 國際收支에 미치는 影響은 크지 않을 것이나

— 90年부터 나타나기 시작한 國際金融市場의 資金梗塞現象이 各國의 戰費調達과 戰後 復舊資金 需要增大로 더욱 深化되어 國際金利의 上昇을 招來할 것으로 豫想

　○ 이러한 現象은 戰爭이 長期化될수록 더욱 심할 것임.

— 이에따라 先進國 經濟成長率은 當初 展望(2.0%)보다 약간 鈍化되고, 世界交易도 다소 鈍化될 可能性이 큼.

〈國內經濟〉

— 年中 平均油價가 $25 水準을 上廻하지 않을 것이기 때문에

　○ 經濟成長은 當初展望한 7% 水準 達成이 可能할 것이며

　○ 國際收支面에서는 對中東 輸出蹉跌과 世界景氣下降에 따른 輸出鈍化를 勘案하면 當初 展望했던 30億弗 赤字보다 約 5~8億弗의 經常收支 赤字가 늘어날 것으로 豫想

　○ 物價는 心理的 不安등으로 어려움이 豫想되나 賃金安定·消費節約 등 物價安定 努力을 철저히 한다면 한 자리수 物價達成도 可能할 것임.

-6-

나. 戰爭이 長期化 되고 油田被害가 클 경우(狀況Ⅲ)

〈世界經濟〉

— 年平均 油價가 $40水準으로 폭등할 것으로 豫想되므로, 先進國의 景氣沈滯가 加速化되고 非産油開途國의 外債償還 不能事態가 일어날 뿐 아니라, 東歐圈의 改革推進에도 큰 蹉跌을 招來할 것임.

— 國際金融市場이 더욱 梗塞되어 國際金利가 크게 上昇하고 各國의 證市는 暴落現象을 나타낼 것이며

— 世界的으로 인플레가 만연되어 「스태그플레이션」 現象이 一般化될 것임.

— 유전시설 破壞로 大規模火災가 發生하면 미세분진이 성층권에 도달·체류하여 태양광선을 遮斷시킴으로써 氣溫 下降現象을 초래할 가능성이 있으나, 우리나라는 거리가 멀고 시베리아 北西風의 영향으로 被害가 거의 없을것으로 豫想

〈國內經濟〉

— 石油輸入負擔이 크게 늘어나고 直間接的인 要因에 의한 輸出 鈍化가 長期化됨에 따라 經常收支 赤字幅이 當初 展望한 30億弗보다 2倍以上 늘어난 75億弗 水準으로 擴大 豫想

  o 이에따라 經濟成長率도 5% 以下 水準으로 下落하고

  o 거의 100%의 國內油價 引上要因이 發生함에 따라 國內 物價에 큰 影響을 미칠 것임.

— 또한 中東地域으로 부터의 原油導入 蹉跌이 豫想되어 石油 需給上의 問題도 惹起

-7-

0161

4. 向後 對應方案

> ─ 이미 施行中인 1段階 에너지消費節約施策과 物價安定對策
> 및 被害企業支援對策등을 蹉跌없이 推進하면서 狀況變化에
> 신속히 對應하되,
>
> ─ 만일 사우디등의 油田被害가 커서 國際石油需給 蹉跌과
> 油價 急騰現象이 나타난다면 2段階 消費節約施策을 비롯하여
> 國民生活安定과 國際收支防禦를 위한 非常對策을 講究

가. 現段階에서 推進할 事項

(1) 物價安定對策

─ 生活必須品의 價格安定을 위하여

   ○ 國民不安心理 때문에 惹起되는 油類등 一部 生必品에
      대한 사재기, 매점매석 행위등을 철저히 단속하고,

   ○ 20個 主要 生必品에 대한 日日動向 點檢을 實施하여

   · 問題發生品目에 대하여는 備蓄物量供給·産地出荷 독려
      등으로 需給安定을 圖謀하고,

   · 不當한 價格引上에 대하여는 行政措置를 통하여 間接
      規制

   ○ 國內供給不足品目에 대하여는 適期 輸入등으로 需給의
      圓滑化를 期함.

-8-

0162

一   個人서비스料金 安定을 위하여

  ○ 中央 및 地方對策班을 編成·運營하여 料金動向을 定期點檢
     하고 過多引上業所에 대하여 料金引下를 誘導하며,

  ○ 不當한 料金引上業所에 대하여는 衛生檢査 强化, 稅務調査 등을
     통하여 便乘引上行爲를 철저히 團束하고

  ○ 談合引上行爲는 公正去來法에 따른 告發등의 措置를 취함.

一   建築資材價格 및 建設勞賃安定을 위하여

  ○ 不要不急한 公共事業의 延期, 假需要抑制를 통한 住宅建設의
     적정화 등 建設投資를 適正水準으로 調節

一   通貨의 安定的 供給을 위하여

  ○ 地方議會選擧로 通貨增發이 야기되지 않도록 1/4 分期의 通貨
     運用을 緊縮的으로 해 나가며,

  ○ 豫算執行에 있어서 經常的 經費를 최대한 節減하고 公共建物
     建築費, 出捐·出資金 등의 事業費는 그 執行時期를 調節함.

-9-

0163

(2) 不動産價格安定對策

— 地方議會選擧를 계기로 不動産投機가 再燃되지 않도록 國稅廳
    및 檢察의 不動産投機團束活動을 强化하고,

— 土地去來許可制의 運用을 强化하여 實需要者 與否를 철저히
    가려내도록 하고, 許可된 土地의 利用狀況에 대한 事後管理를
    철저히 함.

— 大企業의 過多保有不動産의 賣却處分을 蹉跌없이 推進하고, 土地
    超過利得稅의 本格的인 부과로 不必要·過多土地保有를 抑制함.

— 實需要者 爲主의 住宅供給이 이루어지도록 住宅分讓制度를
    改善하고 6大都市와 京畿道의 住宅電算化資料의 綜合入力作業을
    3月末까지 完了

(3) 被害企業支援 對策

— 戰爭地域에 대한 輸出中斷등으로 어려움을 겪는 輸出業體에
    대하여 輸出代金 未回收分에 대한 換어음 不渡處理猶豫, 貿易金融
    融資期間 延長, 對應輸出 不履行에 대한 金融上 制裁措置免除
    등의 支援 實施

— 工事中斷 및 代金 未回收등으로 어려움을 겪는 中東進出
    海外建設業體에 대하여 現地金融期限延長 및 同金融償還을
    위한 新規借入許容, 限度超過許容 등의 金融支援 强化

- 10 -

0164

(4) 國際收支 防禦對策

一 中東 및 先進國에 대한 輸出蹉跌로 인해 經常收支赤字가 擴大될

可能性에 對備하여 國際收支 防禦를 위한 對策을 마련하되

○ 주로 戰爭이 終了된 후 復舊期間中 輸出活動을 積極的으로

뒷받침하는 方案을 講究함.

○ 그러나 國際收支에 다소 어려움이 있더라도 直接的인 輸入規制등

通商摩擦을 유발할 可能性이 있는 措置는 止揚

－11－

나. 油田被害 擴大로 油價急騰時 對應方案 (狀況 Ⅲ)

   — 物價安定과 國際收支防禦 및 庶民生活安定을 위한 非常對策을

      講究

       ○ 石油需給 安定을 위하여 車輛運行 減縮擴大, 揮發油 쿠폰制,

         燈油配給制, 制限送電 등 2段階 石油消費節約 對策을 施行

       ○ 庶民生活과 관련된 主要生必品의 需給安定과 物價安定對策을

         强化

       ○ 적극적인 國際收支 防禦對策 講究

       ○ 證市沈滯에 대비한 企業設備資金 調達 對策 講究

       ○ 景氣不況時 庶民雇傭安定對策 檢討

   — 이상에 대한 구체적인 對策은 別途로 準備

戰後 中東情勢 展望 및

對中東 中長期 對策

1991. 1. 31.

外　　務　　部
中東아프리카局

0167

1. 域內 情勢 變化

   ○ 中東地域 勢力 版圖에 있어서 이라크의 位相 低下

   ○ 아랍지역 穩健勢力을 代辯할 이집트, 사우디의 影響力 增大 展望

   - 戰後 아랍지역의 反美, 反西方 감정이 거세어질 경우 시리아, 이란의
     影響力도 相對的으로 增加 豫想

   ○ 이라크의 危險 除去로 一時的인 域內 政治的 安定 達成 可能

   - 걸프戰爭에 따른 아랍 전반의 對西方 敵對感情 惡化, 걸프지역 王政國家
     內部의 改革要求등 不安 要因 常存

   ○ 蘇聯의 對中東 影響力 減少

   - 向後 美國의 影響力은 아랍인들의 反美 感情 정도가 變數

2. 中東地域 安保 協力 體制 構築 問題

   ○ 이라크와 같은 域內 勢力 均衡을 感脅하는 軍事 强國 擡頭 豫防이 目的

   ○ 사우디등 GCC제국, 王政 維持와 國家 防衛를 위해 域外 强大國과의 안보
     協力體制 構築 摸索

0168

o 미국등 西方國家들로 石油의 安定的 供給을 위해 中東地域 國家와의 안보
　協力體制 構築 必要
　- 역내 各國의 利害關係 相衝으로 中東地域 전체의 安保體制 構築 難望
　- 이러한 경우 GCC 국가와 이집트등 一部 親西方 國家가 參與하는 安保
　　協力體制 우선 講究 可能
　- 동 安保協力 體制에 親美 性向 隣接 非아랍 回敎國(터키, 파키스탄)
　　參與 可能
　　. 아랍지역의 潛在的 覇權 追求國인 이란, 시리아, 이집트등 牽制
o 短期的으로는 戰後 쿠웨이트에 아랍 또는 유엔 平和 維持軍 駐屯 豫想
o 사우디등 GCC 국가와 兩者間 合意에 의한 戰後 걸프지역 美軍 駐屯 可能性
　常存

3. 팔레스타인 問題
o 長期的인 中東情勢 安定에 必須的인 팔레스타인 問題 解決을 위한 國際的
　努力 强化 豫想
o 팔레스타인 問題 解決에 있어서 이집트, 사우디, 시리아등 反이라크 아랍
　國家의 역활 增大 展望
　- 걸프사태 관련 친이라크, 반사우디 입장으로 PLO 立地 弱化
o 美國等 西方側도 中東情勢 安定과 아랍의 반서방 感情 緩和를 위해
　팔레스타인 問題 外面 困難

0169

對中東 中長期 對策

1. 基本的 考慮事項
   - 中東地域의 原油 供給先 및 建設 進出 市場으로서의 重要性
   - 아랍권 내지 회교권의 國際政治 舞臺에서의 數的 比重에 비추어 韓半島 問題에 대한 아랍권의 支持 確保도 外交上 緊要
     - 아랍권 個別 國家와의 兩者關係 增進 圖謀 努力과 向後 中東地域 安保 協力 體制에 대한 關心 必要
   - 前後 中東政治 전면 부상이 豫想되는 시리아, 이집트와의 關係 正常化 努力
   - 이라크와는 後繼政權의 誰何에 관계없이 原油導入, 建設進出을 위해 종래의 友好關係 維持
   - 팔레스타인 問題 解決을 위한 國際的 努力 支援 必要性

2. 向後 推進 計劃
   - 中東諸國과의 雙務關係 深化
     - 사우디를 비롯한 GCC國家와의 旣存 友好 關係 强化 (招請, 訪問外交 積極 推進)
     - 팔레스타인 問題에 대한 肯定的, 積極的인 立場 表明
     - 未修交 아랍國과 關係改善 (이집트, 시리아)

0170

- 이라크와의 종래 友好關係 維持
  - 戰後 生必品·醫藥品等 無償支援
  - 終戰後 아국 醫療支援團의 이라크내 診療活動 檢討
  - 殘餘 建設 工事 再開 및 新築 工事 受注
  - 이라크산 原油 政策 導入 檢討
- 大統領 特使 中東 巡訪 推進 (사우디, 이집트, 요르단, 쿠웨이트, 이라크, 이란등)
- 我國의 多國籍軍 參與로 인한 不利益 最小化 努力

ㅇ 戰後 復舊 事業 參與
- 이라크, 쿠웨이트, 사우디, 이란等 戰後 復舊事業
- 海外 靑年 奉仕團 派遣 檢討
- 未收金 및 損失額 回收

ㅇ 經濟 協力擴大
- 貧困 아랍권에 대한 援助提供 (시리아, 이집트, 요르단, 예멘등)
- 官民 經濟使節團 派遣 (국제협력단, 상의, 무역협회 포함)
- 中東平和 基金 參與 (팔레스타인 기금, 레바논 지원기금등)

ㅇ 原油의 安定的 供給 確保
- 長期 供給 契約先 確保
- 油田 合作開發
- 原油導入의 多邊化 (73% 依存度를 소련, 중국, 동남아, 중남미로 分散)

ㅇ 中東地域 外交體制 强化
- 中東地域 公館長 會議 定例化
- 駐 카타르 大使館 閉鎖計劃 再檢討

0171

중동 정세

1991. 1. 31
미주국 안보과

전 황

o 다국적군, 대규모 공습으로 제공권 장악에 성공, 그러나 이라크군의 구체적
  피해 상황은 불확실. (이라크 군시설의 약1/2 파괴 추정)

o 제2단계로 지상전 돌입을 위한 준비로 이라크 지휘.통신망, 지상군 및 군수
  시설에 대한 대대적 공습 계속.

전 망

o 이라크군의 지상전 능력(병력, 장비, 방호 시설, 전쟁경험)고려시, 이라크군의
  완강한 저항 예상. 따라서 미국은 지상전 피해를 최소화 하기위해 현재
  진행중인 대규모 공습을 계속하고 지상전은 2월 중순 이후에나 가능 전망.

  - 이라크의 원유 방류, 유전 폭파, 화생방 무기 사용 위협으로 예상되는
    인명피해 및 환경파괴에 대한 우려는 다국적군의 본격 지상전 돌입을
    어렵게 하고 있음.

o 현 상태에서 다국적군의 전부 승리는 확실시되나, 전쟁의 종결 양식은 정치적
  협상 타결, 무력에 의한 쿠웨이트 수복, 이라크 항복과 쿠웨이트 철군,
  이라크 정변으로 인한 종전등 다양한 가능성이 있음.

0172

o 현재 미국은 전후 중동 질서에 대해 군비경쟁 지양, 팔레스타인 문제를
  포함한 중동 문제의 포괄적 해결만을 언급할 뿐 구체적 방안 제시는 없음.

o 현재 미국은 전후 중동 평화 유지를 위해 유엔이나 평화 유지군을 설치하고
  미 해.공군력으로 동 평화체제 유지에 필요한 아랍국가 주도의 Power Base를
  제공 하는 형식을 고려하고 있는 것으로 보임

o 중동 질서 재편 과정에서 팔레스타인 문제는 초미의 관심이 될것이며, 미국은
  온건 아랍국의 입지를 위해서도 팔레스타인 문제의 전향적 해결 노력이
  필요하게 될것으로 보임

o 그러나 이스라엘은 이번 전쟁을 기회로 점령지역에 대한 유태인 이주 강화등으로
  점령지역 영토화에 노력하고 있으며, 현 집권 Likud는 이스라엘의 최강경 보수
  세력으로 팔레스타인 문제에 있어서 이스라엘의 양보 가능성은 희박함

o 미국은 이스라엘에 양보를 강요할 수는 없을 것으로 보이며, 결국 미국은 이번
  다국적군 참가 중동지역 국가들과의 연대를 기조로 중동지역의 세력 균형을
  꾀할 것으로 보이나, 중동지역의 정치.사회적 요인을 감안시, 현상 유지를 위한
  미 지상군 주둔은 어려울 것으로 보임

o 전후 중동 질서의 구체적 모습은 전쟁의 양상, 지속기간, 전쟁 종결 형식에
  따라 영향을 받을 것임.

다국적군 및 지원국 동향

o 미국은 걸프전 소요경비를 매일 5-10억 불로 추정하고 있으며 전쟁이
  3-6개월을 끌경우, 860억 불에 이를 것으로 보임.

o 미국은 소요 비용중 40-50%는 사우디아라비아와 쿠웨이트에, 20%는 일본에, 10%는 독일에 분담 시키고, 자신은 20-25%를 분담 하는 계획을 갖고 있는 것으로 관측.

o 중동지역의 다국적군 참여국가들은 현재 대부분 전쟁의 단기 목표에 대해서는 의견일치. 그러나 전후 중동지역 신질서 구축 문제에 대해서는 확실한 입장 표명이 없음.

o 전비의 2/3를 타국이 지원하게 될 경우, 미국은 독자적 전쟁 수행에 대한 원조국내 여론 악화 가능성도 무시할 수 없으며 특히 전쟁이 장기화 될 경우, 전쟁 수행및 전후 처리에 대한 원조국의 영향력 증대 가능성.

  * 미국의 전비는 미국내 군수산업 활성화 및 사우디에 대한 막대한 무기판매가 가져오는 효과도 고려, 계산되어야 함.

기 타

o 이번 전쟁은 미국의 승리로 끝나더라도 미국의 힘에의한 중동의 평화구도 구축은 난항이 예상 됨.

o 다국적군 측은 이라크의 쿠웨이트 점령을 이라크에 의한 독립주권국가 쿠웨이트에 대한 불법 침략으로 보지만, 아랍지역 국가들은 기존의 국경선을 제국주의자 들의 자의적 결정의 결과로 간주, 국경의 합법.정통성에 불복하는 경향 있으며, 이번 전쟁이 서구 제국주의자들이 자의적으로 그려낸 국경선 수호를 위해 아랍 형제국에 대한 무자비한 공격으로 간주될 가능성이 있음

o 이러한 문제는 팔레스타인 문제와도 연계, 미국의 전후 중동지역 foot hold 는 허약하다고도 볼 수도 있음. 또한 이번 전쟁으로 GCC 봉건 왕조 국가들의 내부적 변화에 의한 국내 불안으로 미국의 입지가 더욱 불안해질 가능성도 있음.

0174

Korea and Japan's Economic Indices(1989)

Item	Korea(A)	Japan(B)	A/B(%)
GNP (bil.$)	210.1	2,883.7	7.2% *(1:14)*
GNP Per Capita($)	4,968	22,992	21.6% *(1:4.6)*
Gov't Budget (bil.$)	28.28	437.78	6.5% *(1:15)*
Defence Budget(bil.$)	8.85	28.41	31% *(1:3.2)*
Def Budget/ Gov't Budget	31.1%	6.49%	482% *(5:1)*
Def Budget/ GNP	4.3%	1.006%	427% *(4:1)*

0175

Item	Korea(A).	Japan(B)	A/B(%)
Defence Burden Per Capita ($)	168	235	*(1:1.4)*
Def Burden Per Capita/ GNP Per Capita	3.4%	1.0%	340% *(3:1)*
Trade Balance (bil.$)	4.6	64.1	7.1% *(1:14)*
Overseas Asset (bil.$)	*29.4* ~~1,771.0~~	*1,771.0* ~~29.4~~	
Net Overseas Asset (bil.$)	*− 3.1* ~~293.2~~	*293.2* ~~3.1~~	
Oil Import (mil.$)	4,934	21,544	22% *(1:4.4)*
Oil Import From Middle East (mil.$)	3,552	15,238	23% *(1:4.3)*

0176

걸프사태 관련 아국 지원액과 방위비 분담

о 걸프사태 관련, 한국의 지원액은 1차지원시 2.2억불, 추가지원 2.8억불 도합 5억불임. 특히 추가 지원액 2.8억불은 다국적군(주로 미국)만을 위한 것으로 주변국 경제지원은 포함되지 않은 것임.

о 한국은 주한미군 주둔 경비로 89년도의 경우, 간접비로 22억불 상당액 이외에도 직접비로 4억불 정도를 부담하고 있음. 주한미군이 한국 방위라는 목적이외에도 한.미 연합 방위체제하에서 동북아지역 정세안정를 위한 공동 안보에도 기여 한다는 점을 상정해 볼때에, 우리의 방위비 분담은 상당한 의미를 갖고 있다고 볼수 있음.

※ 아국의 방위비 분담 규모		88	89
(단위 : 억불)	직접비 :	2.8	4.0
	간접비 :	19.4	22.2
	계 :	22.2	26.2

※ 국방비 부담 비고	국방비/GNP(%)	국방비/정부예산(%)	1인당 국방비($)
- 한 국	4.3	25.2(31.6: 아국 국방백서)	168
- 일 본	1.0	6.0	235
- 서 독	2.9	9.6	576
- 미 국	6.3	27.5	1,250

자료원 : 미 군비통제.군축처(1989)

0177

o 우리 경제는 89년이래 성장이 저하되고 있음은 물론, 수출 신장세도 계속 둔화되고 있음. 작년 부터는 무역수지가 적자(약 47억불)로 전환되었으며 금년도의 경우에는 이러한 적자폭이 더욱 확대될 것으로 예측되고 있어 경상수지도 계속 적자를 시현하게 될 것임.

o 이와함께 우리의 경제적 여건은 최근 몇년사이에 모든 지표가 청신호에서 적신호로 바뀌고 있음. 구체적으로 금년 1월의 경우만 보더라도 약 18억불의 무역적자를 시현한 가운데 소비자 물가가 2.1%로 상승, 10년만에 최고 수준으로 폭등함으로써 스태그플레이션의 조짐을 보이는등 어려운 국면을 예고해 주고 있음.

※ 주요 경제 지표	89	90	91(전망)
- 경제성장율(%)	6.7	9.0	7
- 경상수지(억불)	51.0	-20.0	-30
· 무역수지	45.0	-20.0	-28
· 무역외수지	6.0	0.0	-2
- 소비자물가(%)	5.7	9.5	8 ~ 9

o 이러한 여건에 비추어 걸프사태와 관련한 우리의 지원액과 방위비 분담은 제반 경제적, 경제외적 요인을 감안할시, 우리가 감당할 수 있는 최대한의 액수임. 따라서 단순히 산술적인 계산에 의한 걸프사태 지원 분담금 산정은

0178

합리적인 산출 근거가 될수 없음. 우리의 경우, 지역 안보에 대한 공헌도,
기타 군의무진 및 수송기 파견등으로 우리 국력과 경제력에 합당한 지원을
적시에 충분히 하고 있다고 믿고 있음.

o 대국과~ GNP 지원3능 희박함. 라도.

참 일 가게 구원 통계

1. 한국과 일본의 경제력 비교('89)

	단 위	한 국	일 본	대 북 (일본/한국)
G N P (경상가격)	10억불	210.1	2,833.7	13.5
1 인 당 G N P	불	4,968	22,992	4.6
인 구	천명	42,380	123,277	2.9
수 출	10억불	61.4	274.2	4.5
(1 인 당 수 출)	불	1,472	2,224	1.5
수 입	10억불	56.8	210.1	3.7
(1 인 당 수 입)	불	1,450	1,074	1.2
경 상 수 지	10억불	5.1	56.8	11.1
해외직접투자(88말)	"	1.1	110.8	99
외 환 보 유 액	"	15.5	84.0	5.4
환 율 ('89말)	₩, ¥ /US$	679.6	137.96	
산 업 구 조('88)				
1 차 산 업	%	10.5	2.7	
2 차 산 업	"	33.2	31.5	
3 차 산 업	"	56.3	65.8	

0180

2. 한국의 주요경제 지표

구 분	단 위	'85	'86	'87	'88	'89	'90 전망
G N P (경 상)	10억불	89.7	102.8	128.9	172.8	210.1	231.7
· 1인당 G N P	불	2,194	2,505	3,110	4,127	4,968	5,430
· 실질GNP성장율	%	7.0	12.9	12.9	12.4	6.7	8~9
(제 조 업)	"	(7.1)	(18.3)	(18.8)	(13.4)	(3.7)	(7.0)
실 업 율	%	4.0	3.8	3.1	2.5	2.6	2.5
총 율	%	29.1	32.8	36.2	38.1	36.3	35.5
국 내 총 투 자 율	"	29.9	28.8	29.6	30.7	34.7	35.0
해 외 투 자 율	"	△1.0	4.4	7.4	8.0	2.3	△0.5
도 매 물 가 상 승 율	%	0.9	△1.5	0.5	2.7	1.5	5
소 비 자 물 가 상 승 율	"	2.5	2.8	3.0	7.1	5.1	9~10
경 상 수 지	10억불	△0.89	4.62	9.85	14.16	5.05	△1.5
무 역 수 지	"	△0.02	4.21	7.66	11.45	4.60	△3.5~△4.5
수 출 (F O B)	"	26.44	33.91	46.24	59.65	61.41	65.0~65.5
수 입 (C I F)	"	26.46	29.71	38.59	48.20	56.81	60.0~70.0
총 외 채	"	46.8	44.5	35.6	31.2	29.4	29.1
순 외 채	"	35.3	32.5	22.4	7.3	3.1	△5
환 율	₩/US$	890.2	861.4	792.3	684.1	679.6	-

38

3. 일본의 주요 경제지표

구 분	단위	'85	'86	'87	'88	'89
G N P (경 상)	10억불	1,330.0	1,965.7	2,388.5	2,866.9	2,883.7
1 인 당 G N P	불	10,987	16,156	19,350	23,350	22,992
G N P 성 장 율	%	4.7	2.7	4.5	5.9	4.8
실 업 율	%	2.6	2.8	2.8	2.5	2.3
국 민 저 축 율	″	32.2	32.4	32.8	33.7	34.4
해 외 저 축 율	″	△3.8	△4.4	△3.8	△2.9	△2.2
도 매 물 가	″	△1.1	△9.1	△3.7	△1.0	2.5
소 비 자 물 가	″	2.0	0.6	0.1	0.7	2.3
경 상 수 지	10억불	49.2	85.3	87.0	79.6	56.8
무 역 수 지	″	45.6	81.5	80.0	77.5	64.1
수 출 (FOB)	″	175.9	209.4	230.3	264.8	274.2
수 입 (CIF)	″	130.3	127.9	150.3	187.3	210.1
대 외 순 자 산	.″	129.8	180.4	240.7	291.7	-
환 율	¥/1US$	238.54	168.52	144.64	128.15	137.96

0182

외교문서 비밀해제: 걸프 사태 8
걸프 사태 대책 및 조치 3

초판인쇄 2024년 03월 15일
초판발행 2024년 03월 15일

지은이 한국학술정보(주)
펴낸이 채종준
펴낸곳 한국학술정보(주)
주 소 경기도 파주시 회동길 230(문발동)
전 화 031-908-3181(대표)
팩 스 031-908-3189
홈페이지 http://ebook.kstudy.com
E-mail 출판사업부 publish@kstudy.com
등 록 제일산-115호(2000. 6. 19)

ISBN   979-11-6983-968-6 94340
        979-11-6983-960-0 94340 (set)